君は韓国のことを知っていますか？

もう一つの韓国論

鈴木崇巨
Suzuki Takahiro

대한민국

春秋社

はじめに

天気さえよければ、日本の対馬から韓国の釜山のビル群がぼんやり見えます。その距離はわずか五〇キロほどです。日本と韓国の国民は、お互いに仲良くしたいと思っています。しかし、次々に新しい問題が湧き上がってきます。

なぜ韓国の人々は、慰安婦像を作ったり徴用工問題を取り上げるのでしょうか。なぜ韓国では大統領が替わると逮捕されるのでしょうか。また、なぜ日本の人々は、かつて恐ろしい歴史があったことを直視せず「未来志向、未来志向」とばかり言うのでしょうか。なぜ「愛知トリエンナーレ 二〇一九」のような文化的な催し物にまで反対する人が現れてくるのでしょうか。

韓国は日本人が思っているような国ではないようです。日本人はもっと優しい目で韓国を見て、愛に満ちた「おもてなしの心」で韓国人に接すべきではないでしょうか。本書は、不幸な日韓の歴史を見直し、正常な関係を築くことを目的にしています。

目次

君は韓国のことを知っていますか？

君は韓国のことを知っていますか？——もう一つの韓国論

1　日本人によってだけ差別されている国

すべての人間が「差別意識」を持っている

フロイトに言わせれば、人間という者はそもそも自分を愛する性質を身に付けています。すべての人間はいわゆるナルシズムを持っています。これがないと人間は生きていけません。ここから「差別」が出てきます。人間は生まれつき「よそ者」を避け、排除する傾向を持っています。[1] したがって、すべての人間が、生まれつき差別意識を持っています。それは教育によってのみ取り除くことができます。しかし、まず人間は自分が差別するような者であることを知らなければなりません。

アメリカにはいまだに黒人差別があります。ドイツにはかつてユダヤ人差別があり五〇〇万人ものユダヤ人虐殺がありました。日本にも部落差別、アイヌ人差別、そして朝鮮人差別がありました。つい最近、二〇一六年に朝鮮人・韓国人差別をなくすための一つとして「ヘイト・スピーチ解消法」が国によって制定されました。それは一種の理念法ですから、今各地の地方自治体の条例などによって具体的な防止措置が定められつつあります。二〇一九年一二月に、川崎市でヘイト・スピーチをする人への罰則をともなった市条例が採決されました。日本にはまだ朝鮮人・韓国人に対する差別が残っています。

「差別」は教育によって解消することができます。親が「どこの国で生まれた人も、皆同じ人間だからね」と教えていれば、子供は人種差別の少ない子として育ちます。完全に差別意識のない人間を作ることはできませんが、人種差別は悪いことであると知った子は、他国の人々と共に生きることができる人間になります。逆に「誰々ちゃんは、〇〇国人だから、悪い子かもしれないので、気を付けて遊ぶのよ」と親から聞かされていた子は、〇〇国人に対する人種差別が脳に植え付けられます。

日本人の高齢者は、韓国人差別の社会の中で育ちました。朝日新聞の世論調査によれば、今の七〇歳以上のわずか七％の人が韓国を「好き」と答え、四一％が嫌いと答えます。残り半分くらいの人々が「どちらでもない」と答えます。一八歳から二九歳までの若い人でも、「好き」が二三%にすぎません。若い人々でも約半分くらいの人が「どちらでもない」と答えます。[2]

韓国の文化体育観光部・海外文化広報院が行った「二〇一八年度大韓民国 国家イメージ調査」(一六か国八〇〇〇人を対象にしたオンライン設問方式)によると、外国人の約八〇%が韓国人に対して肯定的です。それに対し、日本人は二〇%ほどで、異常なほどの開きがあります。[3] この調査は韓国政府が行っている自国への好感度調査ですから、学術的な調査ではありません。しかし、諸外国は韓国を肯定的に見ているのに対し、唯一日本だけが肯定的な国として見ていないことがわかります。これはいったいどこから来るのでしょうか。このような日本人の韓国人に対する感情が、二〇一九年に突然襲ってきた悪い日韓関係の源になっています。

一般的に言って、諸外国においては、特定の外国を「嫌い」と答えるのは、特別な理由がないかぎり控える雰囲気があります。なぜなら、それは大変失礼なことになるからです。ところが、なぜか日本人の韓国人に対する差別は特別です。五〇歳代以上の日本人の三三％から四一％が韓国を「嫌い」と答えます。これは上記の二〇一九年の『朝日新聞』の調査です。日本人の脳への韓国人差別の「刷り込み」がなされてきた結果だと思います。

「朝鮮」という名称は今の北朝鮮の首都ピョンヤン付近の古名でした。南北に分断されている現在では、北朝鮮はその「朝鮮」という名を国名に付け「朝鮮民主主義人民共和国」としています。南側は古代の韓諸国（馬韓、辰韓、弁韓）にちなんで「大韓民国」と名乗っています。この本の中では、それぞれ「北朝鮮」また「韓国」と言います。現在は分断されているため、南北を区別するためにこれらの言葉を用います。この本の中では両国を表すために「朝鮮半島」と呼ぶ場合が多くあります。かつては「朝鮮人差別」という言葉が使われ、今は「韓国人差別」という言葉が多く使われます。

日本人の韓国人差別は、島国であることに大きな原因の一つがあります。日本人は諸外国に憧れを持ちつつも、「自分たちは特別なのだ」と思う傾向があるように感じます。それはまるで未成熟な幼児のように筆者には思われます。今でも、日本人選手が勝利したり、金メダルを取ったりするとニュースのトップ・ページを飾ります。負けると、ニュースにすらなりません。国民の中にも、ジャーナリストの中にも、国際的な意識が強くはありません。外交官にすら国際的な意識を感じない場合があります。彼らは日本の官僚だから、あるいは日本人のジャーナリストだから、日本人を中心にして当たり前だと思い込んでいます。それこそがまさに国際的な差別意識から来ています。これは島国だからという理由が大きいのではないでしょうか。島国の人間は自分の国のことだけを考えがちです。

もう一つの原因は、韓国が隣国であることです。人間は自分以外の人間に警戒感をもちます。特に身近にいる隣人を警戒します。(4) 防衛本能です。フロイトの言葉で言えばナルシシズムです。日本の対馬から韓国の釜山《プサン》は、距離にして五〇キロに過ぎません。これも差別感情を持つ理由になります。悪い人が来るかもしれないので、距離的に近い韓国人に対して防衛本能が働きます。

「自分には差別意識がない」と思っている人が一番厄介です。その厄介な人が多いのが日本です。理由は島国であるため外国人を見る機会が少なかったからです。大陸の民族は、地続きで隣りに異民族が住んでいます。ようするに、日本人は警戒心から「朝鮮半島の人々」への差別が始まり、植民地にするために「朝鮮人は文化程度の低い人々である」という刷り込み教育を施され、戦争という過酷な歴史を通してゆがんだものとなり、深層心理で報復を恐れているのかもしれません。韓国は日本人が差別するような国ではなく、本当は尊敬すべき国です。

地球上のすべての人間に差別意識があります。こんな表現をとると、反対する人々がいるかもしれません。しかし、それが人間です。二〇世紀後半、二一世紀は、人類の移動の世紀です。日本にも外国人が続々と移住してきています。韓国人だけを差別するのは、もはや矛盾しています。今後は日本人の差別意識も大きく変化することでしょう。しかし、人間社会から差別がなくなることはありません。これは人間の罪性《ざいせい》という深い性質から来ています。

差別をなくすには教育以外に方法はありません。幼少のころから、いろいろな人種の中で育ち、すべての人間が大切な一人であることを経験し、教育を受けることによって、差別をなくしていくことができます。今、日本では、外国人労働者が急速に増えてきています。いずれ自国に帰って行く人々ではなく、多くは日本人に同化してゆく人々です。フランスでは　労働力として移民を多く受け入れてきましたから、人口の三分の一は移民の子孫になりました。ハワイ、アルゼンチン、南アフリカ、アメリカ、ドイツ、フランスなどでは、少しずつ悪い差別意識が薄らいできています。それらの地域では人種が混じりあうことによって、人々が経験を積み、仲良く生きることができると学んできているからです。人類から人種差別意識をなくすためには、体験を含んだ教育以外にないと思います。

他人を恐れるという罪の性質は、人間固有のものですから、その人が生きている間中、教育を受け続け、克服していこうとする努力が必要です。それはちょうど殺してはならない、盗んではならないというような基本的な人間教育です。新しい国際化の時代を迎えようとしているときに、本書は異常なほどの日本人による韓国人蔑視から抜け出すことを願って書かれています。

日本は島国、韓国は大陸

日本は島国です。
韓国は大陸の一部です。
両国に住む民は、顔は似ていても、中身はまったく違う性質を持った者に育ちました。

ある日本人の女性が、韓国人の男性と結婚しました。結婚して初めて民族の違いに驚きました。夫の母親つまり義母が、勝手に新婚夫婦の台所にやってきて料理をしました。「家族になったのだから当たり前でしょ」と言いました。義母はさらに「あなたの物は私の物。私の物はあなたの物よ。もう家族なのだからね」と真顔で言いました。嫁は驚き、「おかあさん、親しい中にも礼儀ありでしょ」と反発しました。親しい仲には礼儀なしが韓国人です。これは少し誇張した表現ですが。

韓国人は日本人から見て直情的です。韓国人は純真で子供っぽいところがあります。日本人は几帳面で、細かいところがあります。韓国人はおおらかで、おおざっぱで、すぐに態度や表情に表します。日本人は感情を表に出しません。日本人は相手の立場を思いやるというか、忖度するところがあります。日本人の賛成は、側面に反対がひそみ、反対の袖の中に賛成が隠れています。日本人は人間がそのような者だと思い込んでいます。韓国人には、一般的に言って、そのような裏がありません。賛成は賛成であり、反対は反対です。したがって、世界の国々の人にとっては、韓国人は日本人以上に付き合いやすい民族になります。

韓国人に比べて、日本人ははっきりものを言いませんので、外国人は日本人の真意をつかむために時間がかかります。二〇一九年、日本の総人口一億二六一五万人のうち一三五万人余が外国で働いています。韓国の人口は日本の約半分である五一二七万人であるにもかかわらず、七一八万人もの韓国人が海外で暮らしています。日本人よりはるかに国際化が進んでいるといえます。

日本人は勤勉、真面目、静的、原色でない色を好み、控えめ、感情を表に出さない、というような性質をもっています。

他方、韓国人は熱心、忠実、動的、原色好み、自己主張、感情を表に出す、というような性質をもっています。

区別意識は神が創造した「ヒト」の大切な性質です。そこから競争が始まり、進歩が出てきます。良い面があるわけです。しかし、区別意識はすぐに差別意識に変換されうる性質を持っています。差別意識は嫉妬心に似ているところがあります。両方とも人間には必要な側面を持ち、同時に凶悪な事件を誘発します。したがって、教育によって、その正しい道を教える以外に差別意識や悪い嫉妬心を抑える方法はありません。

幼児が物心ついてから、「どんな人もヒトとして同じだからね」、「あの人はすばらしい才能をもっているね。でもあなたにもすばらしい才能があるからね」と教えられることによって、人は「正しい差別意識」「良い嫉妬心」を持つことができるようになります。それは幼少時からの家庭教育のレベルの問題であって、大学レベルの難しい問題ではありません。親が「韓国人は素晴らしい民族よ。他の民族もみなすばらしい民族よ」と思っていれば、その子供である日本人に、現今のような日韓問題は起こらなかったでしょう。朝鮮人・韓国人差別は、ここ一三〇年ほどの間、親から子にさらに孫にと受け継がれてきてしまいました。

韓国人は大陸的で、鷹揚で、純真な民族だと言いましたが、韓国人に限らず、どの民族にも犯罪者がいます。殺人があり窃盗があります。嘘やだましは日常の中にあります。日本で韓国をほめると、すぐさま反論されます。反論の方法は、ある韓国人が犯した罪を取り上げ、韓国は悪い国だと主張します。自分の国を含めすべての民族は生まれつき罪を犯す性質を持っています。民族によって罪を犯す傾向に違いはありません。どの民族もヒトの集団であることに違いはないからです。

差別の歴史を学ぶことは良いこと

米国の南カロライナ州にチャールストンという市があります。アフリカから奴隷が連れてこられた港町として有名です。そこに「マグノリア・ガーデンズ」という黒人奴隷のことを学ぶことのできる広い施設があります。そこに小さな小屋のような当時の奴隷労働者の家があります。黒人奴隷は悲惨な生活を強いられました。その公園はそのような教育施設でもあります。また、世界の学者たちの努力で、アフリカから船で連れてこられたときの劣悪な様子を克明に知ることができるようになりました。船底の、幅三八センチ、長さ二メートル、高さは七五センチの空間に鎖でつながれ、糞尿とともにちょうどマグロが並んで輸送されるように運ばれました。発狂した人、病気で亡くなった人達は海に捨てられました。

アメリカ人の子孫たちは、先祖の悪行を研究して明らかにしました。人類の過去の歴史をありのままに知ることは、人類の発展に寄与します。日本人が朝鮮半島の人々になした悪行にも目を閉じるのではなく、詳しく学ぶことによって日本の未来の平和が開けてくるはずです。なぜなら、事実を知ると、人は悔い改める気持ちにさせられ、本当に悪いことをしてしまったと反省するからです。その反省の気持ちこそが、韓国人が日本人に求めているものです。ところが、日本人の一部の人々は「望んで慰安婦になった人々もいた」とか「強制的に徴用したことはなかった」という例を取り上げ、主題をはぐらかそうとしています。

アメリカには「クー・クラックス・クラン」（通称ＫＫＫ）という白人至上主義団体があり、暴力によって人を脅し、人種差別を普通のことにしようとしている人々がいます。同じように、日本にも侵略戦争をなかったものにしようと考える人々がいます。しかし、事実は事実であり消すことはできません。日本の植民地にされ、土地を収奪され、生活できなくなった朝鮮半島の人々は、中国、モンゴル、日本、ロシア、ハワイなどに逃げました。その数は二〇〇万人以上の大群衆でした。今でいう難民になった人々です。原因は日本の侵略戦争でした。

今も中国に朝鮮半島出身者の多い地方があります。日本の植民地時代に逃れてきた人々とその子孫が多くいます。日本に逃げた人々も大勢いました。今では韓国系日本人が二〇〇万人になります。なぜ日本に逃げた人々がいたかといえば、距離的に近いだけではなく、その当時は朝鮮半島が日本国内であったからです。朝鮮半島の山の中に逃げ、原始的な生活をしてやり過ごした人々もいました。すべて日本人が犯した侵略という罪が根本的な原因でした。真実の歴史を知れば、それに対する反省や行動もおのずと出てくると思います。

二〇一九年六月一九日、ワシントンの米国下院司法委員会で、過去の奴隷制に対する補償の是非をめぐる初の公聴会が開かれました。「特定人種への補償には賛成しない」（もう過ぎ去ったことだから、黒人だからという理由で、昔の事件の補償などできない）という人や「当然補償すべきである。それをしないと真の平等（白人と有色人の平等）が実現しない」という人もいて、議論は始まったばかりです。米国の黒人奴隷制度は一六一九年に、ジェームスタウンという港町に約二〇名が上陸させられて始まりました。二〇一九年はそれからちょうど四〇〇年経ちます。それで、記念式典が催され、上記のような問題提起がなされました。日本に例えれば、それはちょうど「在日朝鮮人・韓国人に償い金を出すべきではないか」という議論が出てくるような問題です。

米国では近年奴隷制の責任を問う声が広がっています。米下院は二〇〇八年、上院は翌九年に奴隷制や人種隔離への謝罪を決議しました。米国の南カロライナ州のチャールストンという上記で紹介した市は、アメリカ人ならだれでも知っている「奴隷貿易の港」でした。市議会は二〇一八年六月に奴隷取引に関与したことを認め過去を謝罪しました。

やがて、日本でも、韓国人差別を行った国民が謝罪し、国がそのことへの補償金を払うようになるのでしょうか。

第二次世界大戦の時に、米国に移民していた日系米人は「敵性国民」ということで米国内の砂漠地帯などに作られた一〇か所ほどの強制収容所に一二万人ほどが約四年間も収容されました。それから四六年後に、米国政府は「あれは間違っていた」と謝罪し、日系米国人に一人当たり二万ドル（現在の約二〇〇〇万円余）の損害賠償金を払いました。それはちょうど在日朝鮮人や韓国人の多くに、日本政府が償い金を出すことに似ています。

韓国は「慰安婦」「徴用工」の問題だけを取り上げているのではありません。日本人の狭い島国根性と狭い歴史観を世界に訴えているのです。なかなか日本人が自分の中にある人種差別を認めようとしないからです。このような見方は筆者のいわゆる「自虐史観」なのでしょうか。インド、中国などを含むアジアの人口は、六二億人です。アジアの諸国は非常に急速な成長を遂げています。北半球から南半球に世界の経済が大きく移り変わろうとしています。スポーツの分野でも、中心点が北米・ヨーロッパから中国に移り、やがてアフリカにまた南米に移り変わるでしょう。急速に動いている世界の中で、日本はいつまで自分を中心にして世界を見ているのでしょうか。

2

歴史から浮かび上がってくる韓国人

朝鮮通信使

天気さえよければ、対馬から釜山《プサン》が肉眼で見えます。東京と富士山の距離の半分くらい、約五〇キロですから当然見えます。両地方には同じヒトが住んでいましたから、こっそり泥棒が船に乗ってやって来たり、行ったり、トラブルがあったことでしょう。それはどこの国でもあることです。日本人は今のような特別な韓国人蔑視を江戸時代にはもっていませんでした。持っていたのは、どの民族にもあるような普通の「差別意識」また「警戒心」でした。

朝鮮通信使は、朝鮮半島の高麗王朝が日本の室町幕府に使者を送り、手紙を持たせたことから始まりました。それは一三七五年のことでした。もちろん民間の行き来は弥生時代からありました(5)。朝鮮通信使の目的は「信《よしみ》を通わすこと」でした。どちらが上とか下とか、強いとか弱いということではありませんでした。将軍の代替わりとかお世継ぎの誕生のお祝いをするとかの時期に、韓国から日本へ通信使が派遣されました。「おめでとう」を伝えるためでした。江戸時代では約一〇年から三〇年くらいに一度の割で、朝鮮通信使が合計一二回来訪しています。日本は対馬藩を通して返礼をしていました。両国ともに鎖国政策を敷いていましたから、「信《よしみ》を通わす」目的以外のなにものでもありませんでした。

朝鮮通信使の一行は、高級官僚とその随行員でした。随行員の中には、先頭を歩く子供、楽隊、医師、通訳、下働きの人々がいて、総勢三〇〇人から五〇〇人くらいでした。船で対馬、九州、大阪まで来て、後は淀川で京都まで上り、中山道、東海道を歩いて江戸まで、片道四か月くらいの旅でした。美しく着飾った行列を見ようとして、沿道には大勢の人々が集まりました。瀬戸内海の港町、街道の宿場町で文化交流を行いました。きっと日本人にとっては、この行列を見学することが娯楽の一つであったことでしょう。一行には対馬藩の警護役が一五〇〇名ほど付きました。ですから、合計すれば、二〇〇〇名にもなる長い行列だったわけです。訪問者も将軍家もさぞかし誇らしげだったことでしょう。

通信使への日本側の対応は江戸幕府の対馬藩が担当しました。対馬藩には外交事務所が置かれ、あまり知られていませんが、釜山に「倭館《わかん》」（今の大使館のようなもの）が、一六七五年に設置されました。そこには対馬藩士が常駐していました。朝鮮通信使に対する返礼は、対馬藩が幕府に代わって行っていました。ですから、朝鮮通信使は朝鮮半島政府（李王朝）の一方的な朝貢外交ではありませんでした。両国がともに鎖国をしていた中で、相互にあいさつを交わすような行事でした。ですから江戸時代には今のような悪い差別意識はなかったと言えます。しかし、いずれの民族でも相手の民族を下劣な民族と見下すような性質を持っていますから、日本人は朝鮮通信使を、また朝鮮通信使は日本人を見下していた一面を持っていたに違いありません。しかし、そのような差別心と明治時代以降の「朝鮮人差別心」あるいは「朝鮮人蔑視」とは違いがあると思います。そのことについて、本書は明らかにしていきます。

一度だけ両国に大きな問題が勃発しました。豊臣秀吉が野心を起こし、中国を征服するために、まず朝鮮半島を征服しようとして、二度にわたって出兵したことです。このため、豊臣秀吉は韓国では非常に悪い日本の王として有名で、その名を知らない人はいません。

もちろん、秀吉の名を知っているというより、当時の朝鮮半島に君臨していた李王朝の将軍李舜臣《イ・スンシン》という人が、日本の織田信長のように有名で、「祖国を防衛した英雄」として知らない人はいませんので、その敵として秀吉の名が出てくるから知っています。

豊臣秀吉の仕掛けた戦争を、日本語では「文禄《ぶんろく》の役《えき》」「慶長《けいちょう》の役《えき》」（韓国語では「壬辰倭乱《イムジンウェラン》」「丁酉倭乱《チョンユウェラン》」）と呼んでいます。「役《えき》」とは「戦争」のことですが、そういう日本語を知っている日本人はわずかです。多くの日本人が言葉の意味を知らないまま通り過ごしています。小学校で突然「役《えき》」という言葉が出てきて、生徒たちには何のことやらわけのわからない言葉のはずです。「文禄」も「慶長」も生徒には分かりません。ただ、テストには出てきますから丸暗記をしなければなりません。だれにでも分かるように言い換えれば、「一五九二年に豊臣秀吉が始めた朝鮮半島への侵略戦争」のことです。このように正確に言うと、「露骨すぎる」と言って反対する人がいます。何のことを言っているのか分からないように、うやむやな文章にするのが日本人のクセです。しかし、もうそのような態度は国際的に通用しなくなりました。日本の歴史教科書に使われている言葉は、分かる言葉に「変換」されなければならないと思います。

一三九二年から五一八年間も続いた朝鮮半島の李王朝は、鎖国政策を敷いていました。江戸幕府も鎖国政策を取っていました。そのため、江戸幕府は朝鮮に対し「通信国」として善隣関係を持たざるを得ませんでした。その理由は、なにしろ肉眼でも見える土地ですから、ひとえに地理学的な問題でした。（明国、清国、ポルトガル、オランダ、英国などは「貿商国（通商国）」で貿易をする国、朝鮮は「通信国」で信《よしみ》を通じあう国でした。）もちろん、前述したように、ヒトは皆差別意識を持っていますから、日本人は朝鮮人に対する特別な意識をもっていたでしょうが、それは他の諸外国人に対すると同じような、ヒトなら誰でも持つような差別意識や警戒心でした。

征韓論

一九世紀後半に、諸外国、特に西洋の国々が、アフリカやアジア諸国を植民地にしようとして侵略しました。日本は侵略される前に武力を増強して、日本が朝鮮半島から中国・東南アジアを侵略しようとしました。武力を強くして自衛に徹すればよかったのですが、明治政府は「侵略される前に侵略する」という政策をとってしまいました。ここに近代日本の不幸の始まりがありました。日本人は島国であるために外交がへたでした。武力を増強し他国を侵略する道を選んでしまったわけです。

外交がへたというのも日本人の特徴です。なにしろ島国ですから、日本人は外国人に接する機会が少ないか、まったくないかの状態でしたから、警戒心が強かったわけです。大陸の人は、周りにいっぱい外国人がいます。ほかの民族が語る訳の分からない言葉を聞いても驚きません。日本人は萎縮します。もちろん、すべての日本人が萎縮するわけではありません。個人差がありますが、たとえば、日本では何か国語を自由に話せる人を羨望のまなざしで見ます。言語中枢は幼児から一〇代前半くらいまでにできあがりますから、だれでもそのような特殊な環境におかれれば、何か国語でも自由に話せる人になります。日本人は、そのような環境に置かれていませんから「外国語コンプレックス」を持ってしまいます。「言葉さえわかれば、私はお前と同等あるいはお前より上なのだ」という感情を持ってしまいます。これが外交下手の元です。

日本人はすぐに「あの場合、やむをえなかったのだ。あなたも私の立場になれば、きっと同じようにしたであろう。私を責めないでほしい」と言います。日本人の思考方法は、ある一つの同じような確固とした原理があって、そこから現実の問題への解決策を導き出してくるというものではありません。日本人はその時の事情に合わせて、いくつか考えられる解決策の中から最良の道を選択します。そのようにして日本民族は生きてきました。しかし、欧米はそうではありませんでした。

ユダヤ教、キリスト教、イスラム教などの一神教の世界では、『聖書』や『コーラン』の教えという原理があります。その原理に従うことが第一です。すると、日本人はすぐに「原理主義者だ」と言ってレッテルを貼り、相手を非難します。彼らだって、『聖書』や『コーラン』の教えという枠の中で、「いろいろな考え方」を出してきますから、決して一枚岩ではありません。日本人の場合、『聖書』や『コーラン』という原理はありませんから、より広い立場から自分の考え得る限りのいろいろな考え方を出してきます。一神教の人々は原理主義で、日本人は自分の知恵中心主義ということができます。

幕末から明治にかけて、外国との関係をどうするかということに関して、明治政府は二つの意見に分かれました。「日本が植民地にされる前に、アジア諸国を日本の植民地にし、ヨーロッパ列強と同じような強い国にする」という考えと「平和外交をする」という二つの意見です。この二つの考え方は、当初から、確固とした論理の上に立ってのことではなく、事情によれば、両者ともどちらにでも鞍替えできるようなものでした。なぜなら、それが原理を持っていない日本という島国の特徴です。反対派が突然賛成派になります。どちらに転んでも「やむを得ないこと」であり、「同じ日本人ならば納得してくれる」はずです。同じ人間の知恵中心主義の上に立っているからです。

島国の特徴の一つは「他を恐れる感情を持ちやすい」ことです。平和的な話し合い外交より、先制攻撃を仕掛ける感情を持ちやすいと言い換えることができます。一八七四年(明治七年)に「台湾征伐」つまり台湾に侵略戦争をしかけました。「侵略」とは、他国に侵入してその領土や財物を奪い取ること(『広辞苑』)ですから、二〇世紀に日本が台湾・朝鮮・中国・東南アジアに対してなした戦争は、すべて「侵略戦争」でした。

翌一八七五年(明治八年)に、明治政府は朝鮮半島で江華島《こうかとう》攻撃をしました。江華島攻撃とは日本国の軍艦「雲揚号《うんようごう》」が、今の仁川《インチョン》市（ソウル市近く）の島に大砲を撃ち交戦したことです。こんな話をすると、「実は、最初に鉄砲を撃ってきたのは、李王朝軍の兵士の方だったのだ」などという「小さな話」を持ち出して、日本が侵略したという歴史的事実を曖昧にする人々がいます。これも「島国」という環境から出てくる「責任はあちらにある」という論理、すなわち自己防衛の感情から来るものと思われます。

近代という時代には、強い国が他国を侵略し植民地をもつのは当たり前のことであったかもしれません。ですから日本が戦争を企てたのも、当たり前のことであったのかもしれません。しかし、朝鮮人差別の元凶は、日本が戦争を仕掛けるために、明治政府が作り出した「かれらは文化程度が劣った民族であり、日本が助けてあげなければならない」という民族差別であったと筆者は見ています。もちろん、日本民族の排外主義は、他民族と同様に古代からあったと見るべきです。すべての人間が排外主義という罪性《ざいせい》をもっているからです。しかし、朝鮮半島に住む人々にとっては、ある日突然「ドカン」と大砲を撃ってきたのですから驚き、大きな迷惑行為であったことでしょう。

日本の侵略

李王朝ができた一三九二年といえば、日本では南北朝時代が終わるころに当たります。朝鮮では、それ以降ずっと李一族が五〇〇年余も半島を支配してきました。それを倒したのが日本の明治政府でした。

艦砲射撃の翌年、一八七六年（明治九年）李王朝は開国しました。日本軍と李王朝軍の火力の差は歴然としていました。同じ鎖国の国であっても、日本は長崎の出島で貿易ができましたが、李王朝は完全な鎖国政策を採っていたからです。日本は銃や大砲の技術を発達させていました。李王朝は武器の発達が遅れてしまいました。

やがて日本は朝鮮半島に日本軍を駐留させることに成功し、ソウルに司令部を置きました。朝鮮半島の領有権を争って日清・日ロ戦争（一八九四年・一九〇四年）が起こりました。日清戦争の戦場は朝鮮半島とそれに隣接する中国（清国）の遼東半島でした。日ロ戦争の戦場は満州、中国の遼東半島、黄海、朝鮮半島が主な戦場でした。朝鮮半島の人々にとっては、自分の国土において日本、中国（清国）、ロシア帝国が戦争をしたことになります。朝鮮半島の人々にとっては、他国の人が自分たちの国土を戦場にして、自分たちの土地を取るために戦争をするわけですから、本当に大きな迷惑でしたが、日本の国民は日清・日ロ戦争をそのように見る人は少ないと思います。さらに言えば、戦場が朝鮮半島を含んでいたことを知らない人々がほとんどです。現在では日本の中学校の教科書にほんの少しだけ記載されています。[6] そして、日本軍が勝利し、ついに一九一〇年（明治四三年）に朝鮮半島を日本の植民地にしてしまいました。

その後、朝鮮半島は一九四五年の第二次世界大戦の日本軍降伏まで、あしかけ三六年間にわたり、日本の植民地にさせられました。誰が見ても、日本が韓国に攻め入り植民地にしたのは事実です。たとえ日本国が自分に都合の良い理由をならべ、侵略される前に侵略しただけだと言っても、世界中のだれが認めてくれるでしょうか。ほとんどの日本人は、「日本が朝鮮を植民地にした」とか「同和政策を取った」とか「さらっと」知っているだけで、それがどのようなものであったかを深く考える人はほとんどいません。島国であるところに、その原因があると思います。自分の国のことで心がいっぱいですから、他国のことまで気に掛ける余裕がないからだと思われます。

筆者は、韓国人蔑視（当時は、朝鮮半島に住むすべての朝鮮人蔑視）の起源をさぐろうとできる限りの努力をしましたが、それに該当する論文が日本には少ないことを知りました。自国のあらを探すと、一部の日本人から批判されるからだと思います。しかし、日本国の韓国への侵略戦争、つまり征韓論の理由付けのために、韓国蔑視が日本国の政策としてなされたという学術的な論文があります。[7] 朝鮮半島の人々は貧しく、文化程度が非常に低く、日本国民が助けてあげなければ生きていくことができない民族である、というような教育が政府や新聞によって繰り広げられました。これが今のような特別な韓国人蔑視のそもそもの原因であったと考えられます。

メディアがそれを広めたと考えられます。国民もそれを真に受けて、親から子に孫に伝えました。それはちょうど日本人が「赤穂四十七士の復讐」を美談として伝えてきたように、侵略することを良いことのように、あるいはやむを得ないことのように教えてきたことに似ているのではないでしょうか。日本は島国であるため、皆が生きてゆくために、時の支配者に従順であることが求められます。日本のメディアも時の支配者に従順でした。このようにして朝鮮人蔑視が始まりました。

朝鮮人蔑視の起源を明治政府の政策だけに限定するのは無理があることを筆者は知っています。民族がお互いに蔑視することは、昔から常にありました。朝鮮半島の人々は、当然のように自国が優れた民族の国であり、満州人（モンゴル人）、琉球人、日本人は野蛮人で獣の類だから人間付き合いができる国ではないと思い、そうかといって放っておくと噛みついてくるため、適当にあしらう外交をしなければならないなどと考えていたに違いありません。民族の違いとは常にそのようなものなのでしょう。しかし、各民族は戦争を避け、出来る限り平和裏に話し合いをしてきました。もちろん、核兵器を持つ現代では平和外交に徹しなければならないことは言うまでもないことです。

3

白衣の民・東方君子の国

日本人より身長が高く、背中の筋肉が大きい

韓国を訪問して感じる最初のことは、日本人より背の高い人々が多いことです。世界のいろいろな民族の中で、韓国人は中の大に属するそうです。北欧の人々ほど身長が高くはありませんが、日本人よりは明らかに背の高い人々が多くいます。後姿は日本人より少し大きい人たちが多く、全体的に男性も女性も肩幅が広いというか、背中の部分が筋肉質に感じます。もちろん背の低い人たちも多くいます。

韓国の春にはつつじが咲き乱れ、秋に人々は紅葉狩りを楽しみます。沿道の草木が日本と同じなのは、対馬からわずか五〇キロしか離れていないわけですから当然といえば当然です。町内会の人々なのでしょうか、早朝に、男性の高齢者が談笑しながら道路の掃除をしている光景などを見ると、アメリカやヨーロッパとは明らかに異なる国に来ていること

を感じます。一年を通して日本より湿気が少ない大陸性の気候ですから、過ごしやすいと言えるかもしれません。冬は寒いですが、最近の温暖化の影響でしょうか、厚手の防寒服を見かけることが少なくなりました。

李王朝

前述したように、朝鮮半島は一三九二年より一九一〇年まで、五〇〇年以上にわたって李という一族によって統治されてきましたが、その前は高麗《こうらい》という王朝（九一八年〜一三九二年）があり、仏教を国教にしていました。

朝鮮半島はユーラシア大陸の東端にあります。人体にたとえれば、それはちょうど盲腸のように突き出ている小さな部分です。鴨緑江《おうりょっこう》（アムノック川）と長白《ちょうはく》山脈（ジャンベク山脈）によって中国と隔絶されています。世界地図を見れば、朝鮮半島は距離的には北京がそれほど遠くはありません。

朝鮮半島の王たちは、中国が古い時代から脅威でした。脅威というより、小さな朝鮮半島は、むしろ中国の一部のような位置関係にあります。したがって、朝鮮半島の王は中国にいつも貢物を納めて平和外交に努めてきました。朝鮮半島の王は、中国の王を「帝」と呼び、決して自分と同じ位としての「王」という言葉を使いませんでした。中国は「親分」であり自分は「子分」であるという意識を身に付けていました。そのようにしないと存立できなかったからです。

朝鮮半島の人々の中国に対する意識は、日本人とはかなりかけ離れていました。これは現在でも同じです。北朝鮮と中国の首脳が鉄道や飛行機で行き来している姿は、兄弟のような関係に見えます。むしろ親子のような関係と言ったほうがふさわしいかもしれません。韓国と米国は、今では運命共同体のように見えますが、もともと韓国民は米国より中国の方に親近感を持っています。日本も中国とは近いですが、「北朝鮮・中国」のような関係ではありません。日本は離れた島国です。朝鮮半島の人々にとって、日本は普通の兄弟のような関係で、けっして親子のような関係ではありません。

もちろん、朝鮮戦争後、韓国と中国の関係は大きく変わりました。北側が共産主義国家になったために、韓国と中国は敵対関係が強くなり、経済的にも敏感な競争と牽制の関係になりました。韓国で漢字を見かけることが少なくなったのも、韓国の中国排除と関係があります。

中国と朝鮮半島の国は別々の国ですが、彼ら自身はどちらが兄貴分であり、どちらが舎弟分であるかを十分にわきまえています。そのような歴史と民族的・地政学的な違いは西洋の人々には理解しがたいかもしれません。欧米人の中で、日本人・中国人・韓国人の違いを、正しく理解している人がどれほどいるでしょうか。また、世界の人々の中には、地図の上で、どれが日本でどれが韓国かを知らない人々も多いのではないでしょうか。

日本のメディアに登場してくる「知識人」と呼ばれる人々は、地理的に遠い欧米の事情についての専門的な知識を持っているようですが、身近な韓国の近・現代史の初歩的な知識すら持っていない人々が大勢います。正しい理解を持っているのは一部の中国や朝鮮半島に関する専門家だけです。残念ながら、良く知っているはずの専門家たちは、多数の国民が持っている「朝鮮人・韓国人差別意識」の前に萎縮し、発言の機会を封じ込められているのではないでしょうか。

朱子学の国

李王朝の前は高麗王朝でしたが、仏教を国教としていました。しかし、仏僧が兵力をもって政治に口を出し始めたために、次の李王朝は、仏教を嫌い、寺院や仏僧を山の中に退け、儒教の中の右派とも言うべき朱子学を国教にしました。ここから韓国の仏教の力は、日本の仏教の力のようではなくなりました。今も国民の二三％が仏教徒ですが、その影響力は限定的ですし、いわゆる檀家制度などはなく、日本とは様相がまったく違います。

儒教は紀元前六世紀に中国でできました。人間がどのように生きて行けばよいかの「教え」でいわば「中国哲学」と言った方が正しいと思います。ヨーロッパではギリシャで「ギリシャ哲学」が始まったのが、やはり紀元前六世紀ころでした。インドでは釈尊が仏の「道」を説いたのは、諸説がありますが、やはり紀元前六〜五世紀のことでした。洋の東西を問わず、「人間はいかに生きるべきか」を体系的に考え始めたのが紀元前六世紀ころということになります。

中国で儒教が生まれたころは、王が自分の土地を支配し、王同士が常に争っていた時代でした。そのような時代の教えですから、民主主義の時代になった現代では通用しなくなった教えが多くあります。儒教の教師のことを需者と呼び、そのグループを需林と呼びます。いろいろな儒者の教えに自分の考えを加えて体系化した著名な儒者が出ました。その人が紀元前六世紀の孔子です。ですから、儒教と言えば孔子の名が出てくるようになりました。

儒教は紀元前に生まれ、王が支配する二〇〇〇年以上もの時代に用いられ育ちました。非常に長い期間にわたって中国、日本、韓国、ベトナムなどの社会に影響を及ぼしました。一二世紀に中国に朱子（一一三〇年頃～一二〇〇年頃）という儒者が現れて、儒教の注釈書を著し、儒教を深化させ、非常に厳しい、宗教のようなものにしました。彼は『大学』『論語』『孟子』『中庸』という儒教の中の大切な書物を注釈しました。これが儒教の中の朱子学です。すでに儒教ができてから一六〇〇年も時間が経っている時代にできたわけです。これが日本や韓国に入ってきて、統治者に影響を与えました。国民もまた「いかに生きるべきか」を考えるときに、儒教の中の朱子学から大きな影響を受けました。日本人にも身近な教えとしては、次のようなものがあります。

親を敬いなさい。
年長者を尊敬しなさい。
王に忠義を尽くしなさい。
自分のなすべき分をなしなさい。
人は生まれながらにして身分というものが決まっている。
人は身分を越えようとしてはならない。
礼節を重んじなさい。
思いやりの心を持ちなさい。
私利私欲にとらわれないようにしなさい。
男女は七歳になったら同席してはならない。

卑しいことをしてはならない。
明け方に起きなさい。
正座して漢文を覚えなさい。
賭博などをしてはならない。

これらの教えは、本場中国では少しずつ廃れ、アヘン戦争以降は著しく衰退していきました。日本や朝鮮半島の人々の中で、儒教は力を失いつつありますが、今も大きな影響を残しているのが事実です。日本の江戸時代を背景にした仇討や現在の韓国テレビの王朝時代の物語などは、儒教の中の一つである朱子学を背景に作られています。日本で切腹や仇討の物語が、たとえ今では考えられないこととは言え、物語の中で普通に語られているのは、朱子学の影響以外の何ものでもありません。

朱子学は中国や日本以上の発展を、この朝鮮半島の一王朝の時代に見ることができました。しかも、その王朝が五〇〇年以上も続きましたから、李王朝が消滅してからすでに一〇〇年余の年月が経ち国民の三分の一がキリスト教徒になっても、今も韓国社会の中にその影響を色濃く残しています。儒教が普遍的な教えになることができなかったのは、儒教が普遍的な「宗教」ではなく、封建的な時代つまり君主を中心にした非民主的な時代の人間の知恵に過ぎなかったからです。しかし、日本以上に儒教の教え・考え方・習慣が韓国に強く残っていることを、日本人は知っておかなければならないと思います。

日本にも儒教は入ってきましたが、すでに国民に根付いていた仏教があったことが大きな理由で、「国教」になるほどの力はありませんでした。しかし、儒教は天皇と将軍という二重の権力構造を持った日本独自の封建国家の中でかなりの影響を及ぼし、現在もいろいろな場面の中で生き続けています。韓国における儒教の祭祀《さいし》は、日本の「お盆」にあたる「秋夕《チュソク》祭」や元旦の「年始祭《ヨンジジェ》」のほか、命日に「忌祭《キジェ》」を行い、墓前祭を行っています。このような生活習慣は日本と似ています。

日本と韓国は似ているところと異なるところがあります。地下鉄に乗ったとき、町の中を歩くとき、前述したように、まわりに居る人々が日本人より少し体が大きく感じます。それはちょうどモンゴルから日本に来ている力士が、日本人力士より体がひと回り大きいのと似ています。なぜなのか専門的なことは分かりませんが、大陸育ちと島国育ちの違いだと思います。また、筆者が二〇〇七年頃、ソウル市内の公共交通機関に慣れようとして東京の山手線のような環状線に乗ったとき、車内で大きな声で堂々と物を宣伝して売って歩く人を見かけて驚きました。日本なら乗務員が飛んできて大騒ぎになるようなことです。乗客はさも当たり前のような顔をしていました。もちろんこれは最近になって法律で禁止されたそうです。

公園の中で、どこかの婦人会が幼稚園児のように輪になって弁当を食べている光景を見たりもします。周りの人々もそれを少しも気にかけていません。日本では見かけることがなくなった光景です。町の中のいろいろな光景は、日本に似ているところが多いですが、やはり異なるところがあります。お米のご飯を主食としているため、食べ物も似ているところがあり、少し違った習慣もあります。木製の箸《はし》を使う日本と銀製の箸を使う韓国のように。

白衣の民・東方君子の国

徳川幕府も李王朝も、かつては「支配者」と「被支配者」の二つの身分に分かれていました。朝鮮半島の支配者（高級官僚）は、朱子学（儒教）の中の「科挙制度」という激烈な教育競争に打ち勝った人々で非常に少数でした。五一八年間の李王朝時代には一万五五〇〇人が最高級官僚（ヤンバン）に選ばれただけでした。（李王朝の後期には多くの人々が、その位をお金を出して買ったために多くなったといわれています。）科挙制度の試験に合格すれば一族をあげてお祝いをするような出来事でした。「文班《ぶんはん》」（文官）と「武班《ぶはん》」（武官）に分けられ、「文班」が上でした。この「両班《りょうはん》」（韓国語で「ヤンバン」）の身分が支配者でした。もちろんその上に「王」がいて王族がいました。彼ら全員が朱子学の学徒でした。朝鮮通信使はこの両班《ヤンバン》という高級官僚でした。それに仕える下働きの人々が多かったので、行列の人数が増えました。ですから、朝鮮通信使その人は、当時としては身分の非常に高い特別な人でした。従者たちがたとえ下品なふるまいをしても、通信使自身は別格だったわけです。

「被支配者」の庶民は、日本でも李朝でも、厳しい抑圧下に置かれていました。日本では「お上《かみ》」の言うことに対しては絶対服従でした。江戸幕府も李王朝も臣民を長い時代にわたって武力と朱子学という教育によって統治しました。そこには似たような庶民社会ができあがりました。李王朝の特徴は、庶民もまた朱子学によって非常に強く影響されていたことです。朱子学の影響の強弱は、日本と韓国の違いになって表れています。日本より韓国の方がより強く朱子学の影響を受けました。李王朝では、高級官僚だけではなく、一般の庶民も朱子学の教育を受けました。

朝鮮半島の人々を指して「白衣の民」と言います。白衣は清廉《せいれん》・純真・質素を表す儒教的な衣服ですが、支配者だけの衣服ではなく庶民の衣服でもありました。お祝いや正式な儀式のときには、男性だけでなく女性も白衣を身に付けます。（さらに女性はいろいろな機会に色あざやかな「チマチョゴリ」を身にまといます。）ここから朝鮮半島の人々は「白衣の民」と言われます。二〇一九年九月にも、現在の文在寅《ムン・ジェイン》大統領が白衣を着用してテレビに現れていました。

また、李王朝の時代は「東方君子の国」とも呼ばれました。東方とはユーラシア大陸の東の果て、君子とは道徳的に立派な儒者たちを指します。中国で始まった儒教が、朱子学となって中国以上に朝鮮半島で花開きました。

日本では、朝鮮半島の人々が文化程度の低い民族だという間違った「差別教育」がなされてきました。本当は「朱子学によって固められた高潔な民族」であるといえます。それは「日本民族が真面目で勤勉な民族」であるのと同じようなことです。もちろん、庶民の普段着は貧しい衣服でしたし、食料も少なかったことでしょう。日本も同じでした。殺人事件も窃盗事件もあったでしょうが、それは日本においても同じことです。韓国民が実は「白衣の民」であったことを理解すれば、韓国人に対する見方も変わってくると思います。日本人の多くは、日本がいろいろな面で韓国より「上」であると思いたがっていますが、そのように思うこと自体が愚かなことです。ただ、日本もそうでしたが、昔の庶民にとっては「貧しさ」がもっとも大きな問題でした。

働き者

韓国の人々は、日本人と同じように働き者です。朝早くから夜遅くまで働きます。勤勉であることは、儒教的な教えから来ていると思います。

筆者は二〇〇三年頃に一週間ほど韓国へ旅行しました。それ以前に二度ばかり訪韓していましたので、少し慣れていました。目的の一つは、ある牧師にインタビューをするためでした。出発する前に、日本語のできる韓国の神学生に通訳を依頼し、その牧師とは手紙で面談の約束をしました。面会時間が深夜の午後一一時から午前二時まででした。その牧師が深夜に働いていることに驚きました。幾人かの牧師が交代で働いていました。その牧師の面談できる時間に合わせたら、その時間帯になってしまったというわけです。インタビューそのものは予定通りで満足すべきものでした。

韓国の牧師たちは想像以上に多忙でした。一般的な教会では、朝は毎日五時から約一時間の「祈禱会《きとうかい》」があり、そこで牧師は聖書の話をします。午前中に婦人会の集会があり、夜にも祈禱会があります。祈禱会とは一種の礼拝式のようなものです。牧師が聖書の講義をして祈ります。このような集会以外に個人的な相談、また、大きな教会では、葬式や結婚式などでスケジュールはいっぱいにつまっています。韓国の法律のことは分かりませんが、韓国の牧師の仕事ぶりは、日本なら明らかに労働基準局から違法だと警告されてしまいそうです。

インタビューが終わって、「これほど働いて大丈夫ですか」と尋ねてみたら、「大丈夫ですよ、神が守ってくださっているから。それにね、すべての牧師ではないのですが、朝の祈禱会が終わってから、人々が働き始める時間に、サウナに行って汗を流してリラックスしている牧師だっていますからね」と言って、リラックスする牧師を批判的に話してくれました。そのような牧師もいるのだと知って、むしろ筆者はほっとしました。彼らに比べれば、日本の牧師は本当にのんびりした仕事ぶりです。長時間働けば良いというものではありませんが、韓国人は働き蜂のような日本人の上をいっています。

ある教会では、受付係の数名が、全員肩にたすきをかけているのを見ました。一瞬、筆者の母の世代の人たちが、戦時中にモンペ姿で「皇国婦人会連合」のたすきをかけて、竹やりの訓練をしていた様子を思い浮かべてしまいました。たすきをかけるとやる気が出てくるのは筆者だけでしょうか。何かにつけて、のんびりした日本の牧師としては、韓国の教会が「やりすぎ」ではないかと感じることがたびたびありました。これらはキリスト教会の信仰的な特徴というより、儒教的な「何事もなせばなる」というような精神風土の名残ではないかと思いました。

朝鮮半島の人々には独創的な一面があります。たとえば、「ハングル」と呼ばれる韓国文字です。日本のひらがなのようなものです。「いろは」は四八文字ですが、「ハングル」は四〇文字です。それで発音するすべての言葉を書くことができます。しかし、両国とも漢字文化を輸入していました。しかも、その輸入した漢字による言葉が、全ての言葉の七〇%を占めていますから、漢字と自国の文字を混ぜ合わせて文章を作ります。ところがハングルはひらがな以上に便利で、漢字を使わないで文章を作ることが出来ます。ハングルはひらがなより新しくできた文字で、一四四六年に世宗《セジョン》という李朝の第四代目の王によって庶民教育のために作られました。つまり非常に独創的な文字といえます。

ところが、あまりにも易しいために、李王朝では軽く見られて、重要な文書は漢字で書かれたためにハングルが発達しませんでした。支配者の驕りを感じます。ところが、キリスト教会が聖書をハングルで翻訳し、ハングルの普及に一役買いました。今では漢字ではなくハングル文字が韓国全土にあふれています。日本は「伝統」を誇りますが、韓国は「独創」を誇ります。

韓国に行って一番困ることは、漢字が少なくなってしまったことです。漢字が用いられていれば、場所だとか物などが分かるのですが、現在ではほとんどがハングル文字で書かれているため、まったくわかりません。何とかしてもらえないでしょうか。漢字の教育や使用が論じられることはあるのだそうですが、中国が共産主義国家になったために脱中国・反中国の雰囲気が強いからだと聞きました。

4　一族意識の強い人々

「アリラン」は「五木の子守歌」のような歌

熊本県南部の五木《いつき》村地方に伝わる「五木の子守歌」という歌があります。子守娘の境遇をうたった哀切な歌です。

お盆が過ぎたら、私は里に帰るからね……
わたしが死んだからといって、だれが泣いてくれるのでしょうか、裏の松林のセミだけかしら……

というような歌詞です。

「アリラン」という歌は、「五木の子守歌」のような歌です。「アリラン」の意味は、はっきりしていませんが、朝鮮半島にたくさんある峠の名の一つではないかと言われています。民謡ですから、いつ誰が歌い始めたのかはわかりませんが、正しい調子（曲）も歌詞も定まっていません。メロディだけで一〇〇曲以上もあるそうです。歌詞にいたっては二〇〇〇以上もあります。韓国では、日本の植民地時代に、映画「アリラン」が一世を風靡しました。主人公が日本の統治で苦しむ内容です。日本では、一九三一年に日本語に翻訳された「アリラン」の歌がビクターから発売され爆発的なヒットになりました。時代背景を考えれば、発売禁止になってもおかしくないはずですのに、それほどの人気を博したのは、その歌の持つ本来の魅力だと思います。

アリランは悲しみの山、アリランは一二の丘、いま最後の丘を越えて行く
西の山に暮れる陽は、暮れたくて暮れるのか、
わたしを捨てて行かれる人は、行きたくて行くのか

というような歌詞（意訳・大意）です。

朝鮮半島の人々は、植民地になり、日本人の奴隷のようになりました。山に逃げ、中国に、ロシアに逃げました。ハワイに逃げた人々もいました。宗主国日本に逃げた人々もいました。なぜ日本に逃げたのでしょうか。貧しいながらも日本に行けば食べる物があったからです。植民地時代が続くにしたがって、日本は中国・東南アジアへと侵略を本格化させました。お米は日本人と日本軍のために供出させ、朝鮮半島の人々は、あわ、ひえ、麦などの雑穀で飢えをしのがなくてはならなくなったからです。(8) 戦前の朝鮮半島全体の人口は二〇〇〇万人ほどでしたが、二五〇〇万人もの人々が中国・ロシア・ハワイ・日本へのがれました。残った人々も人口の一割にのぼる二〇〇万人が戦争中に徴兵・徴用されました。これが慰安婦問題・徴用工問題の背景です。

植民地になる一年前の一九〇九年に、日本における在留朝鮮人はわずか七九〇人でしたのに、(9) 一九三五年には六五万人に急増しました。中国吉林省朝鮮族自治州に二〇〇万人もの朝鮮族の人々が今も暮らしていることは、よく報道されます。あの人々は朝鮮半島の北部に住んでいた人々が以前から中国に連行されたり、日本の植民地化から逃げたりした人々の子孫です。数十万人がソ連の沿海州に逃げています。このような難民を生み出したのも日本帝国の責任でした。はたしてこのような歴史を日本人のどれほどが知っているのでしょうか。

一族意識の強い人々

朝鮮半島は、山岳地帯が国土の七〇%をしめています。「峠」によって隔てられた村々がありました。日本と違い、姓が「金《キム》」「李《イ》」「朴《パク》」など、わずか三五の姓で国民の九〇%を占めています。(日本には一三万もの姓があります。)家系図が非常に明確に伝えられ、先祖が同じ八親等までは今でも結婚が許されていません。自己紹介をするときには、どの村の出身で、先祖が誰であるかを明かさなくてはなりません。さらに教育や出身学校も伝えなければなりません。非常に近い親戚であるかどうか、年齢がいくつであるかなどは、最初の段階で知らなければ、今でも話が先に進まないのです。

親戚であったり同窓生であったりすれば、それだけで援助の度合いが違ってきます。民族性が日本人とは異なるだけではなく、社会生活も日本人と異なる面があります。日本人は日本人の感覚で朝鮮半島の人々を見ますが、日本人は島国の民族であることをもっと自覚しなければならないと思います。他民族をどちらが上とか下とか、強いとか弱いとか経済力があるかないかの見方ではなく、深く暖かい目をもって、世界の人々を理解するようにしなければならないと思います。朝鮮半島の人々は、汚れた卑しい人々ではありません。朱子学が社会の中に浸透していた国であり、国民性は高潔です。日本人も良い面を多く持っていますが、一部の犯罪者を取り上げて、両国の国民性全体を見誤ることをしてはならないと思います。

日本でも、江戸時代の固定的な社会はとっくの昔になくなり、今では都市集中の社会になっています。韓国でも同じような傾向にありますが、まだ地方に行けば古い習慣が残っています。今も、島内婚の多い島では「サドン、サドンで他人はいない」と言われたりします。「サドン」とは結婚した夫婦の親同士の関係を指している言葉だそうです。島民が皆血縁になり、家族のようなものだという意味です。

現在は、朝鮮半島が南北に分断されていますが、「分断」の意味が日本より強いことを知らなければならないと思います。単に、地域的に分断されているだけではなく、一族意識が強いために、北にも南にも同族が存在しているのです。それらが結び合わされて朝鮮半島が国家になっていたのが李王朝でした。ですから南北の「統一」は、日本人には想像できないほど強いものがあります。「いつか統一できれば良い」というようなものではなく、「統一」は民族的な悲願といえます。統一のためには、米韓の、あるいは日韓の同盟関係を切ることすら考えられることです。血は水よりも濃いからです。

日本では一九四七年に、新憲法によって「戸主制度」(各家に首長を置く制度)がなくなりましたが、韓国では二〇〇八年に廃止されたばかりです。儒教団体の反対運動があったから遅れました。かつて儒教社会であったがゆえに、日本と韓国は似ているところがあり、社会変化も日本の後を追うように、韓国がついてくる面があります。そのような面だけを取り上げれば、そのように言えますが、韓国が先に進んでいる面も多くあります。「民主化」は韓国の方がはるかに先を進んでいます。演芸の面では、韓国のテレビ・ドラマが日本で多く放映されていることを考えると、創作の分野で韓国が進んでいると言えます。そういえば、Kポップも日韓両国民の若者の心をとらえています。

明るい民族

教会関係の仕事で二〇〇三年に韓国旅行をしたとき、仕事のない日に、原州《ウォンジュ》という所にあるチアクサン国立公園に行きました。電車とバスを乗り継いで目的地に着きました。ゲートがあり住所氏名を書いて公園の中に入りました。予備知識なしで行ったため、そこが山であることを知りませんでした。登山装備もなしでした。日本の山と同じように、ときどき人に出会いました。沢で休憩していたとき、十数名の女性が大声で叫ぶように話しながら、楽しそうに下山して来ました。驚いたことにカトリックの尼僧《シスター》たちでした。全員が頭にシスターのスカーフを着けて、長いスカートをはいていました。筆者を韓国人と思ったらしく、韓国語で何か挨拶をしながら下山して行きました。

韓国では日本よりはるかに尼僧が多いのに驚きます。そのころの筆者の調査では、国民の三〇％以上がクリスチャンで、カトリック教徒が五二〇万人もいましたから、街中で尼僧を見かけることが多くても当然です。男性の司祭たちは儀式のとき以外は比較的自由な服装ですから、街中で出会っても一般の人と区別がつきませんが、シスターたちはおそろいの軽目のシスター服を着ていましたから、町の中でも目立ちます。筆者が山で出会ったシスターたちも同じ服を着たまま、険しい岩だらけの山道を登っていたことになります。

山で出会ったシスターたちによって、筆者は新しい発見をしました。日本のシスターは、どちらかというと静かな目立たないふるまいをしますが、韓国のシスターは明るい女子高校生のような印象を与えます。韓国民は、一族意識が強いだけではなく、同じ学校、同じ会社、同じ教会、同じ郷里の者同士の結びつきが、日本やアメリカなどでは考えられないような強さをもっています。同じグループに属していることがわかると、それだけで強く、激しい感情が沸いて来るようです。日本にも同じような意識がありますが、韓国の場合、日本人以上に強く激しいものがあります。

国立公園へのその日の小さな旅行でしたが、いくつかの親切を感じました。駅員が単語だけを並べたような英語でバス停を教えてくれました。それだけではなく、その駅員は韓国語がまったくわからない筆者のために、事務所から出てきて、駅前ではなく大通りのバス停まで連れて行ってくれました。筆者は、「上司の許可を受けないで事務所を勝手に離れていいのかしら」と日本人らしい余計な心配をしてしまいました。日本人の細かい心配と韓国人のおおらかさの違いです。その日の朝の公園ゲートの事務員は、山道のルートを非常に丁寧に教えてくれました。日本と同じように韓国の人々は親切です。都会から離れた所で、人々の親切心に出会うのも日本と同じです。

日本人の人間関係は、少し湿っぽいところがありますが、韓国人はドライなところがあります。韓国の教会では、その教会が気に入らない場合、さっさとやめて他の教会に移る信徒が多いと聞きました。日本では所属する教会をやめることは勇気が必要なことなのですが、韓国では思っていることを率直に大胆に行動に移します。同じ教会に所属する者同士の強い絆と、すぐにその教会を離れてしまう割り切りのよさとが同居しているように思えます。これは国民性の違いだと思いました。

筆者は、一度、高校生くらいの男子生徒とその母親が手をつないで歩いているのをみました。日本の高校生は、その年代になると恥ずかしくて母親と手をつないで歩きません。韓国人は人前で感情を表に出しても平気です。これも韓国人のドライな気質から来ていると思います。いつもは喧嘩ばかりしているような親子が、人前で手をつないで歩くのは、やはりその民族の性質を表しているのではないでしょうか。

5　残忍な政策によって三六年間苦しめられた民族

土地の収奪

明治政府は一九一〇年（明治四三年）から韓国を植民地にしました。植民地政策の手始めに、総督府は朝鮮半島の土地調査事業を始めました。自分の土地である証拠（書類）を提出できない人の土地を取り上げ、日本人の地主と「東洋拓殖会社」（植民地経営会社）に売却しました。朝鮮半島全土の約四〇％を日本人が買い占めました。そのため自作農から小作農に替わらざるを得なかった人々が大勢出ました。六〇％もの高率の小作料を払えない人々は離農しました。これが多くの難民を出した理由です。しかも、その時代の朝鮮半島の人口の八〇％が農民だったのです。このため、極貧にあえぐ人々が、前記のように諸外国に難民のようになって流れて行きました。

筆者の父のアルバムに父が二〇歳代ころに、朝鮮半島に兵士として出兵していた集合写真がありました。正確な日付や場所は分かりません。日本国民は日清・日ロ戦争、太平洋戦争の善悪などを深く考えることもなく、戦争があったことをごく自然なことのように考えていたと思われます。

筆者は、日本が朝鮮半島を植民地にしたために、朝鮮の人々が利益を受けて喜んでいたという話をよく聞かされて育ちました。また、約二〇万人の日本人が軍人としてまた一般人として朝鮮半島で生活し、現地の人々と良い関係をもっていたという話をよく聞かされました。たしかに親日的な朝鮮半島の人々もいたと思われますが、多くの人々は日本による植民地支配によって苦しみ悲しんでいました。

日帝三六年間

日本人兵士一人一人がどれほど優しい人だったとしても、戦前の日本政府は朝鮮半島を中国・東南アジア侵略の一歩に過ぎないと考えていました。したがって、日本政府の支配はますます過酷なものになっていきました。今でも韓国の人々の日常会話の中で「日帝《にってい》三六年間」という言葉がよく出てきます。朝鮮半島が日本の植民地にされたのは一九一〇年から一九四五年までで、歴史的な計算をすれば三五年間ですが、韓国では「三六年間」といいます。たしかに足かけ三六年間に及びますから正しい表現ですが、韓国の人々の悔しい気持がこめられた表現です。日本人は「過去のこと」でも、韓国人には「ついこの間のこと」なのです。

朝鮮総督府は「憲兵警察制度」というものを発足させました。日本の派出所にお巡りさんがいるというような穏やかな警察制度ではなく、日本軍の中の警察兵（憲兵）が全土を監視するという制度でした。朝鮮半島の各地に七七の憲兵警察署が設置され、三四一〇名の憲兵が配備され、年々その数を増強して朝鮮半島全体を支配しました。一九一〇年頃の半島全体の人口は、まだ一三〇〇万人ほどでした。同じころの日本の人口は四九〇〇万人ほどでした。明治政府は武力による威圧的な統治方法を取りました。このような政治手法を「武断《ぶだん》政治」といいます。

心の支配

朝鮮半島の一般庶民にとっては、初めのうちは、支配者が強権的な李王朝から日本軍の総督に代わっただけだったかもしれません。日本の明治政府は、天皇を中心にした日本国の植民地として、朝鮮半島の人々に天皇への帰依を求めました。すなわち、朝鮮半島の人々の心の中まで支配しようとしました。その時代の日本は、天皇が現人神《あらひとがみ》で、伊勢神宮を中心にした神道によって国民の一致を計っていましたから、朝鮮半島にも神社を建立し、天皇を拝むように求めました。神社の数は一九一〇年には三一社でしたが一九二五年には四二社に、そしてさらに増えていきました。(10) 日本政府は日本国民と朝鮮半島の人々との「心の一致」まで求めました。これは明らかに無理なことでした。なぜなら、人の心は自由を求めるものだから、むりやり信仰を押し付けられることは、人間の本性に反することでした。

このような無理な武断政治を日本の中学校の教科書には、さらっと書いてあるだけです。「朝鮮の人々を、天皇や国家に忠誠を誓う日本人と同じようにする同化政策がすすめられました。学校では、朝鮮語や朝鮮の歴史より、日本語や日本の歴史、修身が重視されました[11]」と書かれているだけです。ですから、日本人のほとんどが、自国の行ってきた朝鮮半島での歴史的な事実をほとんど知らないままであるというのは、日本の教育によっているといえます。そのことが問題として取り上げられ、今も韓国人が怒っているのに、日本人はそのような問題があったことさえ知らない人々が多くいます。以下に示すように、これ以外にも「心の支配」は過酷を極めていきます。

一九四一年に、日本国内のプロテスタント教会各派も強制的に一つにさせられました。そして、「日本基督《キリスト》教団」という組織ができました。プロテスタント教会は、国や歴史や教義により、いろいろな教派に分かれているのが特徴ですし、分かれている意義もあります。しかし、強制的に一つにさせられました。その「日本基督教団」の代表が、こともあろうに、韓国のキリスト教徒に「神社は宗教ではないことになっているので神社参拝をするように」と説得しに行きました。このことが今も日本のキリスト教徒の心にトゲのようにささっています。それはプロテスタント教会の人々だけでなく、カトリック教会の人々にとっても同じことでした。戦前のカトリック教会は、帝国主義政府に協力したからです。

第二次世界大戦が終わったとき、韓国では、投獄されていた韓国人の牧師たちが解放され、「日本軍に協力した牧師は、皆二か月間は謹慎しろ」と激しく非難しました。日本では、ほとんど非難が起こらず、昨日が今日に変わっただけで、「あの時代においてはやむを得なかったのだ」と言って平気な顔をしてやり過ごしました。この対応の差は戦後に表れました。韓国民はキリスト教を信用し、やがて国民の三〇%以上がキリスト教徒になりました。日本では現在もキリスト教徒人口が一・七%にすぎません。国民がキリスト教に改宗するかしないかの問題は、複雑な要素がからみあっていますから、一言では言えませんが、このような戦時中の日本人キリスト教徒のあいまいな態度にも起因していることは否めません。

さらに古い話をすれば、内村鑑三は天皇の写真に最敬礼をしなかったということを新聞に書き立てられ、非国民と呼ばれて、数年間を北海道から九州まで逃げ回るように過ごしました。新聞記者が記事として書かなかったら、それほど大きな問題にならなかったと思います。メディアが迫害をあおったと言えます。助けてくれたクリスチャンもいましたが、多くの日本の教会指導者は、関わりのないように知らぬふりをしました。内村鑑三が在来のキリスト教会を嫌い、無教会という集会（教会）を作っていたからです。明治・大正時代に彼を無視した多くの日本のキリスト教徒は、昭和になっても、そのまま軍事政府に協力し、戦後になっても直ちに「一億総ざんげ」という言葉で問題を一般化し、懺悔《ざんげ》したことにしてやり過ごしてしまいました。

明治政府は、憲兵警察官を朝鮮半島の各学校に配置し、サーベルを腰に付けた憲兵が生徒を見張りました。そのような経験をほとんどの日本人は外国からされたことがありませんから、「銃口を向けられながら生活する」という屈辱感を理解できないと思います。第二次世界大戦が終わった時、連合軍が日本の学校に鉄砲をもって見張りに来たでしょうか。そのようなことはありませんでした。かつての日本軍はなぜ異常なまでの武断政治を行ったのでしょうか。その根底には「島国の民」という特殊性があったのではないでしょうか。すなわち、異民族に対する過剰な防衛本能です。

朝鮮半島の学校では、日本語による教育が行われ、帯剣した日本人教師が児童・生徒に朝鮮語の使用を禁じ、うっかり朝鮮語を使うと罰を与えました。生徒たちは日本語を話さなくてはなりませんでした。筆者より五歳から六歳以上年長の朝鮮半島の人々は、今でも流暢な日本語を話すことができます。筆者の韓国の友人の姉上は「故郷《ふるさと》」「紅葉《もみじ》」などの唱歌を今でも懐かしそうに歌います。筆者の友人は、多分、どちらかと言うと、「親日的」で「過去のことより、今後のことを語り合おう」というタイプの人です。しかし、朝鮮半島に住んでいた人々は、日本軍による強制的な教育を受けたことに対する、どうしようもない屈辱感を持ちました。そのような教育を受けたほとんどの人々はすでに亡くなり、生きている人々は少なくなりました。今も慰安婦にさせられた人々や徴用された人々の映像がテレビに映し出されますが、高齢の方々ばかりです。

安重根

日本の朝鮮支配が始まったころの重要な人物を取り上げます。

安重根（アン・ジュングン　一八七九年～一九一〇年）という人は、李王朝の支配階級「両《ヤン》班《バン》」の子で軍人でした。日本軍によって武装解除させられたことは、儒者でもあった彼にとって屈辱以外の何物でもありませんでした。彼は仲間と共に、地下で反日武装闘争に身を寄せました。一九〇九年一〇月、今の中国黒竜江省の省都ハルピン駅で、日本から来ていた枢密院議長伊藤博文を二メートルの至近距離からピストルで暗殺しました。その場で逮捕されましたが、処刑まで半年ほどありました。その間、彼は日本の武士の鑑《かがみ》のような立派なふるまいをしました。彼はカトリック教徒でもありました。日本では伊藤博文といえば明治時代の立派な指導者ですが、朝鮮半島の人々にとっては抑圧者でした。安重根《アン・ジュングン》は、韓国ではどの小学校の教科書にも必ず出てくる植民地解放闘争をした民族の英雄です。彼が処刑された年に朝鮮半島は、日本の植民地になりました。

三・一独立運動

一九一九年、日本の植民地になってちょうど一〇年目に入りました。朝鮮半島は日本国の一部となり、総督が日本政府から派遣された司令官として全半島を支配していました。李王朝は日本軍の駐留を認め、一九一〇年に朝鮮半島に国家はなくなりました。人々の屈辱感は年々重くなっていきました。しかし、少しでも反日的な動きをすれば逮捕されました。

日本人は「朝鮮半島の人々を助けてあげている」と思っていましたが、朝鮮半島の人々は、わずかな年月の間にずるずると日本の支配下に入り、屈辱感を抱いていました。多くの政治的な活動家は逮捕され、獄に入れられました。朝鮮半島の人々は、世界の人々に「日本の支配は不当である」と訴えることにしました。アメリカ合衆国の独立宣言のような独立宣言を出すべきだと考える人々が多くなっていきました。

一九一九年二月八日、独立宣言文の起草は、日本に留学していた朝鮮の人々によって、東京・神田の朝鮮人ＹＭＣＡ（青年キリスト教徒協会）会館で最初に作られました。今は、その場所は移転して、東京・水道橋駅近くの「在日本韓国ＹＭＣＡ」になっています。その建物の玄関口に独立宣言文起草の記念碑が立っています。そして、三週間後に、韓国のソウル市の中心部にＹＭＣＡ会館がありますが、その横がタプコル公園で、一九一九年三月一日早朝、今からちょうど一〇〇年前にその公園にソウル市民が日本軍に知られることなく約一〇万人が集結して、二九名の民族代表が署名した宣言文を読み上げました。各地でも同じことが行われました。これが韓国の「独立運動」でした。

我らはここに、わが朝鮮の独立国であることと朝鮮人民が自由民であることを宣言する。これをもって世界万邦に告げ、人類平等の大義をあきらかにし、かつこれを子孫万代に教え、民族自尊の正当な権利を永遠に保持させせんとするものである……

これは宣言文の書き出しです。宣言の後、人々は「独立万歳」を叫びながら市内を行進し始めました。宣言文は全国に配られ、各地でも一斉蜂起が始まり、約三か月にわたってデモ行進が続きました。

世界に訴える独立宣言文の作成という戦術は、日本の政府にとっては一種の奇想天外な発想でしたから、朝鮮総督府も軍部もまったく気づいていませんでした。「明日の朝、非暴力のデモ行進を行う。ソウル市民はパゴダ公園（現タプコル公園）に集まれ」というチラシの内容でした。日本に併合されてすでに一〇年近く経っており、植民地化反対の政治活動家はほとんど逮捕されていましたから、この計画は一般市民とキリスト教徒の牧師や

一般信者によって計画されました。全国の集会の総数一五四二、参加者総数二〇五万人、死者七五〇九名でした。(12)

日本の朝鮮総督府は、まったく虚を衝《つ》かれたように、なすすべがありませんでした。この独立宣言発表と言う意思表示は大成功でした。それだけに総督府と日本政府の顔は完全につぶされました。しかし、この運動に対する外国からの支援・協賛はありませんでした。各国の利害関係がぶつかり、この独立運動は国際的な政治運動には発展せず、単なる一国の市民による独立宣言文の発表に留まりました。

しかし、五〇〇年間も李王朝によって支配され、今は外国である日本によって支配され、極貧にあえぐ庶民にとっては、歴史上最初の市民革命の狼煙《のろし》でした。「七月四日」がアメリカの独立記念日としてアメリカ合衆国にとっては最高の記念日であるように、「三月一日」は朝鮮半島の人々にとっては最高の記念すべき日となり、今も韓国の最大の祝祭日になっています。韓国には市民革命があったということを、今後のためにぜひ記憶にとどめておいてください。

日本には似たような市民革命がありません。この両国の経験の違いは、日本人が韓国の政治状況を見誤る原因になっていると思います。韓国では民衆が声を上げて国政を変革するという伝統ができました。それは「三・一記念日」から来ています。現在の日本の政治・経済の指導者の発言の中に、このような歴史的理解をしている人が多いとは感じられません。

柳寛順の死――独立運動の悲劇

「三・一独立運動」は、日本の明治維新のように、韓国の歴史上、非常に重要な節目になる出来事です。ですから、韓国の歴史の教科書には、もっとも重要な項目として出てきます。面目をつぶされた日本の朝鮮総督府は、過酷な弾圧を始めました。その後日談のうち、韓国人ならだれでも知っている一人の少女の死があります。「韓国のジャンヌ・ダルク」とよばれる柳寛順（ユ・グァンスン　享年一七歳）の話です。

彼女は地方におけるデモ行進に、両親と共に参加しました。梨花学堂（女子学校）の生徒でしたが、学校が閉鎖されたために郷里に戻っていました。両親は「子供が非武装市民の先頭を歩めば、さすがの憲兵隊も銃撃はできまい」と考えて参加を許可し、両親と共に先頭を歩きました。しかし、憲兵隊は無差別に銃撃を開始し、両親を含む三〇余名が死にました。彼女は兄と共に憲兵隊によって逮捕され、過酷な取り調べによって獄死しました。日本の朝鮮総督府が、朝鮮半島の平静を取り戻すために死に物狂いで弾圧したために発生した悲劇の一つでした。彼女の名は小学校の教科書にも出てくる名で、知らない人がいない歴史的な少女です。

イエスを信じたために滅んでしまった村――独立運動の悲劇

もう一つは、「イエスを信じたために滅んでしまった村」の話です。これもすべての国民に知られている悲劇です。一斉蜂起から四五日後、四月一五日の午後、周りが田んぼだけという堤岩里《チェアムリ》という三三軒の屋根を藁《わら》でふいた家々のある集落がありました。ソウルから南に六〇キロほど離れた所です。ほとんどの家族がキリスト教徒ということで、その地方を担当していた日本の憲兵隊は目を付けていました。憲兵隊三〇余名が村に行き、「伝達することがあるから、男性は集落の中央にある教会堂に集まれ」と命じました。全員が集まりました。一人の男性は赤ちゃんを抱っこしながら、ぶらっとやってきました。教会堂の戸と窓は外から釘で打ち付けられ、藁《わら》でふいた屋根にはガソリンがかけられ、火が放たれて、全員が殺されました。気が狂ったように家から飛び出してきた赤子の母が泣き叫びました。日本兵がその母親の首を切り落としました。教会堂の中から、赤子の父親が赤子を窓から差し出し、命乞いをしました。日本兵はその子を銃撃して殺しました。残った村の家族は逃げました。犠牲者は二三名でした。この村には天道教の信徒もいましたが、近くで六名が虐殺され、合計二九名の犠牲者でした。

一～二週間後に、カナダ人医療宣教師スコフィールドと言う人が『ニューヨーク・タイムズ』に知らせ、世界中に報じられました。日本人記者は立ち入りを禁じられていましたから、日本人はこの悲劇を知りませんでした。戦後、筆者の先輩の牧師が募金をして会堂を建てるために尽力しました。

命乞いをして窓から差し出された児《こ》のレリーフがソウル市の独立運動の集結地のタプコ

ル公園の中にあります。筆者は三月一日の記念日にチェアムリ村の今の再々建された会堂の礼拝に、戦後ずっとソウル市の日本人教会でざんげの働きをしている吉田耕三牧師と共に参加しました。その日の韓国人牧師の説教は、「日本人を赦さなくてはならない。しかし、この悲劇をけっして忘れてはならない」というものでした。

このような悲劇が朝鮮半島のあちらこちらで「みせしめ」のために起こりました。韓国人は、このような植民地化を実行した「日本人を赦す」寛大な心を持っています。そのような韓国人に対して、日本人はもっと大きな心をもって向き合うべきではないでしょうか。日本人の多くはこのような歴史的事実を知りません。歴史は民間がいろいろな私的な歴史観の元に書くべきものだと思います。右寄りがあっても左寄りがあってもいいではありませんか。事実は年を追うごとに明らかにされるものです。

日本の教科書は国が検定したものだけが使われていますが、小学六年生の社会科の教科書で「朝鮮を併合して植民地にした」という言葉だけがわずか二行ほど出てくるだけです。しかも、それは日清戦争、日ロ戦争があった中で、その一つとして韓国併合を取り上げているだけです。[13] また、中学生の歴史の教科書にも「三・一独立運動」に関して、「朝鮮で『三・一独立運動』が起こり、多くの死傷者や逮捕者を出しながらも五月まで独立運動は続きました」[14]と記載しているだけです。韓国の小学校のすべての教科書ではいつどのようなことが行われていたかを詳しく教えています。

日本の政府は「もう過ぎ去った過去のこと」の一つにしたいかもしれませんが、被害者の側に立って見れば、とうてい忘れられない出来事でした。日本民族は他の人を思いやることのできない民族ではないはずですから、このような無関心さは、日本人の中に韓国に対して特別な差別意識が隠されているとしか考えられません。

「三・一独立運動」は、さらなる日本の武力による締め付けの始まりになってしまいました。短期的に見れば、日本の武断政治を強めただけで、日本人から見れば独立運動が失敗したことになるかもしれません。しかし、戦後いち早く「あの日の出来事」（三・一独立運動）を国民の祝日にしたこと、また、それを韓国最大の祝日にしている事実から、韓国では大成功の一斉蜂起としてとらえられています。

皇国臣民の誓詞

日本による植民地支配は、三六年間に及びましたから、初め一〇歳であった子は四六歳にまでなりました。最初は比較的穏やかな変化でしたが、「三・一独立運動」をきっかけに日本政府の支配は大きく変化しました。表面的には穏やかに、実質的には厳しくなりました。親日官僚を増やし、日本に役立つ朝鮮人を大量に養成しようとしました。そして、太平洋戦争直前には、今では考えられないような政策を実行し始めました。

太平洋戦争は、第二次世界大戦の中の一部です。日本と、アメリカを中心とした連合国との戦争を指します。それは一九四一年一二月八日から一九四五年八月一五日までの四年弱のことです。日本帝国は中国・東南アジアへ戦線を広げていました。その戦争の詳細は日本の教科書では語られていません。したがってほとんどの日本人は中国や東南アジアで何がどのように行われたかを詳しく知りません。

太平洋戦争が始まった真珠湾攻撃の部隊長は、戦後キリスト教徒になりました。筆者は

「奇襲攻撃成功セリ」の暗号であった「トラトラトラ」の話を淵田美津雄第一次攻撃隊隊長から直接聞きました。戦争を始めたときから、日本の多くの人々はこの戦争が無謀なものであり、手を広げすぎていたことを知っていたそうです。

日本帝国は太平洋戦争を始める四年も前に、朝鮮半島において、朝鮮半島の人々に「皇《こう》国臣民《こくしんみん》ノ誓詞《せいし》」を唱えさせました。朝鮮半島の人々は「私共は、大日本帝国の臣民であります。私共は、心を合わせて天皇陛下に忠義を尽します……」と暗唱しなければなりませんでした。学校、官公庁、銀行、神社、広場の集会などすべての組織で、毎朝、朝礼の時にこれを朗読しなければなりませんでした。また、神社参拝と日の丸掲揚を強制的に行わせました。これらが日本軍の兵士の銃口を前にしてなされました。そして、一九三八年には「国家総動員法」が敷かれ、韓国人も太平洋戦争への協力が準備されました。朝鮮人をすべて洗脳し、朝鮮人の精神とルーツをすべてなくそうとする政策でした。

創氏改名

一九四〇年には「創氏改名《そうしかいめい》」がなされました。太平洋戦争が始まる前年のことです。創氏改名とは、親がつけてくれた朝鮮の名前を捨てて、日本の名前を付けることです。姓も名も自分で創《つく》らせました。ほとんどの朝鮮半島の人々と日本に来ていた朝鮮半島の人々は日本名を付けました。自分で好きな日本語名を選んだり、知り合いの日本人に付けてもらったり、ほとんどの人々がいやいや日本名を与えられました。もちろんそれに反対して日本名を付けない人々もいましたが、食料の配布をしないとか役場で事務手続きをしてあげないとかの脅しをされたため、八〇％の人々は日本語名を受け入れざるを得ませんでした⑮。

一九四〇年から五年間は、たとえば学校の卒業証書にも学校側の記録簿にも朝鮮名はありません。今になって、自分の卒業証書を取り寄せようとしても、朝鮮名が存在しません。本人が分かっていればそれでよいと考えるかもしれませんが、日本語名を知っているのは本人と家族だけで、他人に証明することができません。現在も、韓国人はかつての日本の植民地支配による負の遺産を背負って生活しています。

日本に在住している朝鮮人・韓国人も一九四五年以前にうまれた人であれば、皆日本語名をもっています。筆者の学校時代の友人たちは、戦後、半分くらいが朝鮮語の本名を使っていましたが、半分くらいは日本語名を使っていました。その後帰化する人々が少しずつ増えてきましたが、その時に登録する日本語名は、かつて本当に本人か親かが使っていた日本の名前「通称名」だと聞きました。

親が愛情をこめてつけてくれた名前を変えさせられるのは、あまりにも非人間的なことです。そのような無茶なことが出来るわけがないのに、日本語名によって配給を受けたりするため絶対に必要なものになり、皆いやいや命令に従いました。なぜここまで日本帝国は行ったのでしょうか。これはまだ太平洋戦争が始まる前のことでした。

従軍慰安婦

そして四年間の激しい戦争が始まり、広島・長崎への原子爆弾の投下によって、一九四五年八月一五日に日本の敗戦によって終わりました。

四年間の悪夢のような戦時中、朝鮮半島の一〇万人とも七万人(16)とも言われる若い女性が、強制的に「従軍慰安婦」として日本兵の性的な暴行を受けました。自殺した女性が多くいたと聞きますが、多くは闇の中です。彼女たちの血が叫んでいます、土の中から。日本人が「本人の同意の上でなされた」といくら言い張っても、その嘘は三六年間の武断政治の下でなされたことですから、言い逃れようがありません。

この歴史的事実を認めようとせず、言い逃れようとする一部の人々が後を絶たず現れます。また、そのようなむごいことをいつまでも取り上げないでほしいという日本人が多くいます。いつまでたっても日本人が曖昧にするため、韓国民はかつて国際社会に訴えた「三・一独立運動」のように、今各国に慰安婦像を設置して訴え続けています。設置し続ける彼らが常軌を逸しているのでしょうか、歴史的事実を認めない人々が常軌を逸しているのでしょうか。事実を認め、謝罪すれば、朝鮮半島の人々は赦してくれると思います。この問題の解決を遅らせているのは、一部の日本人です。

筆者の小学校・中学校時代の親友の中には、親が戦死した人がいました。名誉の戦死などというようなものではなく、マラリヤという病気で戦場で亡くなった友の父もいました。その頃は当たり前のことのように聞いていましたが、今思えばそれらの父親はまだ二〇歳代だったのですね。

朝鮮半島の人々は、日本軍の降伏をラジオで聞き、各地に「保安委員会」を組織し、無政府状態の混乱を避けて治安の維持にあたりました。朝鮮半島の人々は、日本人に物を投げつけたり、罵声を浴びせたりして日本に帰国させました。静かに見守る人々もいました。日本では関東大震災の時に、「朝鮮人が井戸に毒を入れている」とか「火をつけている」といううわさが流され、六〇〇〇人もの朝鮮人の虐殺事件がありましたが、そのような事件が発生することもなく、約九〇万人の日本人は帰国できました。もちろん南北に分断されていませんでしたから、今の北朝鮮の地方にいた日本人も帰国しました。

筆者の知人の牧師は北朝鮮の海州の教会で働いていましたが、招集令状によって大陸北部に行き、戦死しました。その夫人は三人の小さい子供を連れて命からがら日本に逃げてくることが出来ました。その夫人は筆者と同じ教会で女性牧師として働き、引退して、今も一〇四歳で健康に過ごしておられます。昨日まで支配者の身分でいた夫人は、「日帝の手先」として一日にして追われる身となり、わざと顔に泥をぬり夜間の逃避行をしなければなりませんでした。顔に泥を塗ったのは追撃してくるロシア軍の暴行を避けるためでした。朝鮮半島の三六年間の植民地支配はこのようにして終わりました。

6

一〇〇年間も苦しんできた国

朝鮮戦争

一九四五年の第二次世界大戦の終結によって、朝鮮半島に春が来たかに見えました。しかし、北側は一九四五年からソ連邦の影響下に入り、「朝鮮民主主義人民共和国」になり、南側はアメリカの影響下に入り、一九四八年に「大韓民国」となり、南北が分断されました。

一九四九年には南側の大韓民国で「農地改革法」が制定され、農民はすべて自分の土地を持つ自作農になることができました。その喜びはどれほど大きかったことでしょうか。しかし、日本によって経済的に破壊された国を立て直すのは、並大抵のことではありませんでした。

朝鮮半島の北部にはソ連軍が侵入し、終戦から二か月ほどして、金日成《キム・イルソン》という人を北側の指導者にしました。そして、彼は一九五〇年六月二五日に、突然、南の首都ソウルに進撃し、またたくまにほぼ全土を掌握しました。それは侵略行為であると、アメリカ軍を中心にした一六か国の連合軍が、共産軍を追い返しました。そして、北緯三八度線でにらみ合いが続き、休戦が成立して、現在に至っています。これがいわゆる三年間の「朝鮮戦争」です。朝鮮半島は北部も南部も焦土と化しました。

近代兵器による激しい戦争が繰り広げられたため、死者数が想像を絶するほどに増えました。朝鮮戦争の激戦は、最初の九か月間でした。その後、戦争が続き、三年間で北側の死者が二七二万人、これは北側の総人口の二八・四%に当たりました。南側の死者は一三三万人でした。アメリカ軍の死者は六万三〇〇〇人でした。小さな半島で、まさに死屍《しし》累々のありさまになりました。韓国民の多くは、今も自分の国を共産化から守るために、外国人であるアメリカ人がこれほどの犠牲をはらってくれたことを忘れていません。分断の結果、北と南とは、実の兄弟や、結婚によって親戚になったりした人々が分断される結果になりました。

筆者の日本の中学校の校門の前には採血小屋がありました。朝鮮戦争でアメリカ軍の負傷兵に大量の輸血が必要でした。血を何cc か採血して売ることによって、何百円かの収入になっていました。仕事のない日本人の成人にとって、その額は一日の日当の稼ぎに当たると聞いていました。さらにコーヒーとパンが一切れ供与されていました。朝鮮戦争は日本にとって「特需」で、日本経済にとってはプラスでした。しかし、朝鮮半島の人々にとっては親戚同士の殺し合いという悲惨なものでした。

朝鮮戦争は二〇二〇年を迎えた今も終結していません。半島の三八度線（北緯三八度）で、鉄条網によって分断されています。板門店《パンムンジョム》（三八度線上にある南北の交渉所）を訪問すれば誰でも南北が今も戦争中であることを実感します。戦争は共産主義体制と自由主義経済体制の違いによって始まっていましたから、どちらかが折れないことには終わりません。ソウルとピョンヤンの距離はわずか一九六キロにすぎません。しかし、分断された同じ民族、なかには同じ家族がいます。ようするに、李王朝が終わって以来、日本軍の統治が続き、第二次世界大戦が終わっても、朝鮮戦争によって南北が分断されたままです。現在も入れれば、「苦難の時代」は一〇〇年以上も続いていることになります。このことを日本国民は知らなければならないと思います。

韓国人は朝鮮戦争を「戦争」とは呼んでいません。「動乱」とか「六・二五」(北側が奇襲攻撃をしかけてきたのが六月二五日)と呼んでいます。戦争とは国家と国家の争いですが、朝鮮半島の人々にとっては国内問題ですから、けっして戦争ではないので(国内の)動乱と呼んでいます。このことを日本人は深刻に理解しなければなりません。彼らには日韓問題、米韓問題などよりも優先されなければならない問題があるわけです。

南北の統一問題は、朝鮮半島の人々にとって、いわば家族の問題のようなものです。一人の人間として、家族問題は常に優先されるのではないでしょうか。韓国人にとって南北分断は、家族が分断されたことに等しいわけです。日本から目視できるほど近くにある隣国の、このような家庭の事情を知らない日本人は、島国から来る心の狭さ、悪い優越心、差別心が根底に横たわっているのではないでしょうか。日本人は朝鮮半島の不幸をもっと優しい目を持って見ないといけないのではないでしょうか。

どの民族にも「優しさ」と「むごさ」があります。一人一人の人間にも「優しさ」と「むごさ」があります。虫も殺さないような優しい心の持ち主が、自分の腕にとまっている蚊を瞬間的にぴしゃっと手で打ち殺します。蚊はぺしゃんこに殺されています。三六年間の植民地時代には、恐ろしい話があり、同時にいわゆる「美談」もありました。しかし、人間は「恐ろしい心」と「優しい心」を同時に持ち合わせていますから、今こそ日本人はその優しい心を示すべきだと思います。日本人がそれを示せば、日韓関係は、今までの時代になかった新しい繁栄の時代を迎えるに違いありません。そのためには、まず日本人の心の中に植え付けられた歴史的な差別心を修正することだと思います。ボールは日本人の側にあります。

韓国民は今では日本が「帝国主義」から「民主国家」に変わったことをよく知っています。しかし、日本人は、ついこの間まで「帝国主義の時代」があったことを忘れようとしています。そして、今は「民主国家」であることだけを強調しようとしています。韓国人にとって、「日帝三六年間」という言葉は、昔のことではなく今とつながりのある言葉です。筆者はすでにその時代に生まれていました。筆者の脳裏には、関東大震災の時の朝鮮人虐殺のことを話してくれた母の顔、一緒に遊んだ隣の家の朝鮮人の子がなぜ学校に来なくなったのかしらということ、クラスにいた数人の韓国名の子、自分の家の前に住んでいた韓国から来た自殺したおばあさんのこと、朝鮮半島の本を読んだこと、初めて韓国に行き立派な家に住むおばあさんと日本語で話したこと、それらは昔のことではなく今とつながっています。戦後七〇数年も経っていますから、過去を振り返るのではなく、未来のことを話しましょう、と日本人が言うのはあまりにも虫の良い言い方ではないでしょうか。

義人・孫良源《ソン・ヤンウォン》

話が前後するかもしれませんが、朝鮮戦争の最中に起こった出来事を一つだけ取り上げます。

孫良源《ソン・ヤンウォン》という人は、一九〇二年、日本の植民地になる八年前に朝鮮半島の北部で生まれました。小学校と中学校に通っていた時代は、朝鮮の学校で日本語による教育を受けました。神社参拝が強要されましたが、彼は両親ともどもキリスト教徒でしたから拒否しました。それが理由で、小学校も中学校も退学処分を受けていました。一九歳のときに日本の早稲田大学に留学しました。しかし、二一歳のときに聖霊体験（神の霊の存在を体験すること）をして、ピョンヤンの神学校に入学しました。三三歳で卒業して牧師になりました。しかし、一九四〇年に神社参拝をしなかった理由で逮捕され、五年間獄につながれました。終戦に伴って出獄しました。（韓国ではこのような牧師を「出獄聖徒」と呼んでいます。）このような人は韓国に多くいました。彼が義人と言われるのは、この後の出来事によります。

一九四五年、出獄とともに南側に引っ越しました。牧師の仕事をする傍ら、ハンセン病患者のために献身的に仕えました。ハンセン病の人々への奉仕活動をした牧師や神父・シスターまた一般の人々は多くいますが、彼はそのような人々の一人でした。ところが、当時、暴動が発生して、彼の息子二人が共産党員の銃撃に遭い射殺されてしまいました。殺害者はアン・ジェソンと言う名の青年でした。孫良源《ソン・ヤンウォン》牧師は、殺害者を哀れに思い減刑の嘆願をし、出獄後は二人の息子に代わって養子にして面倒を見ました。

ところが、一九五〇年、北側が突然ソウルに進撃、そして瞬く間に、ほぼ全土を手中に収めました。朝鮮戦争の勃発です。彼は自分の教会を守っていたのですが、共産軍の攻撃によって亡くなりました。四八歳でした。若くして亡くなったのですが、彼の人生は、同じような苦しみの中にいた朝鮮半島の人々の胸を打ちました。困難な中でも信念を貫き通して生きたからです。彼は「愛の原子爆弾」と呼ばれています。原子爆弾のような衝撃を韓国の人々に与えました。このようなキリスト教徒の献身的な働きはいくつもあり、後に韓国が「キリスト教国」になってゆく元になりました。

朝鮮半島の苦しみは、いまだに終息していません。日本人は時代を戦前と戦後に分けて考えます。韓国人にはそれがないことを、日本人は考えたことがあるでしょうか。人類の歴史にはむごいことがたくさんありますが、民族全体が一〇〇年間も苦難の中にあるというのは、あまりにも異常です。その出発点が二〇世紀初頭の日本の侵略にあったことを考えると、現在の日韓関係の問題に新しい視野が開かれてくると思います。

7　殉教者の多い国

殉教者

日本では「隠れキリシタン」の話が有名です。それは歴史の教科書にも出てきていますから、だれでも知っている歴史的な事実です。それと同じように、韓国では殉教者の話が有名でだれでも知っています。そして、殉教者の数が非常に多いのです。

李王朝の時代に日本のようないわゆる「キリシタン伝道」はありませんでした。完全な鎖国政策を敷いていましたから、カトリックの宣教師、いわゆるバテレンは一歩も入ることができませんでした。カトリック教会の伝道は、一七八四年に中国で信仰をもった李王朝の官吏が帰国して始まりました。すなわち神父や宣教師によって始まったのではなく、カトリック教会の一人の「信徒」から始まりました。このような例は世界のカトリック教会においてはめずらしいことなのです。

明洞《ミョンドン》という地区は、東京の原宿のような所です。お店がいっぱいあり、若い日本人の客が化粧品や衣服を買っています。一本裏に入った所に「天主教明洞《ミョンドン》教会」(韓国ではカトリック教会のことを「天主教」と呼び、プロテスタント教会のことを「キリスト教」と呼ぶ)があります。そこにはかつて金範兎《キム・ボムウ》という人の家が建っていました。その人は韓国に入ってきたばかりのカトリック教会の信者になり、最初の殉教者になった人です。その最初の殉教者である彼の家に今の教会が建ち、そこが韓国カトリック教会の本部になっています。筆者はそこで働く神父と職員にインタビューをした経験があります。

李王朝が儒教を国教としていましたから、韓国のカトリック信徒の殉教者の数は、半端でないほどに多くいます。李王朝の組織的な迫害は数度に及び、そのつど数千人数万人の殉教者が出ました。昔のことで、正確な数字がありません。その記念地があちらこちらにあります。(『韓国痛史』という書物には、一八六六年、明治になるわずか二年前の大迫害では、一二万人の殉教者とされていますが、信頼できる数は八〇〇〇人、しかし、寒さと飢えによる死者を入れると数万人になると推定。)いわゆる大迫害が終わったのは一八七一年(日本では明治四年)でした。日本の植民地になるわずか三九年前のことです。すなわち、李王朝の末期に非常に大きな迫害が集中したということです。

戦前の韓国の国民的な小説家、李光洙《イ・グァンス》は、一九三五年に次のように言っています。

私は天主教徒数万人の殉教者を尊敬します。その歴史を十分に知ることが出来ないのが残念ですが、朝鮮人が数万人の殉教者を出したということは、朽ちぬ誇りと思い、私の血管にもこのような殉教者の血が流れているかと思うと、心丈夫であり、また大きな誇りを感じます。(17)

教会歴史の専門家C・H・ロビンソンと言う人は、韓国のカトリック教徒への迫害は、「古代ローマ帝国のキリスト教が、一九世紀前半の七〇年余にわたってなめた韓国の教徒ほどの受難をなめたかどうかについては、簡単には言いがたいであろう(18)」とのべているほどです。プロテスタントへの迫害は、前述のように「三・一独立運動」とその後に多くなっています。独立運動の犠牲者は七〇〇〇人余でした。そのうちの多くがプロテスタントの信者でした。神社参拝を拒否したために投獄された人は約二〇〇〇名、獄死した人は約五〇〇名でした。[19]

一般的には、迫害によって、その宗教の信者になる人は少なくなると考えられがちですが、実際の歴史では、殉教者の信仰心の強さが証明されて、後になって信者が増える結果になっています。このことを三世紀の教父テルトゥリアヌスが、『護教論』という書物の中で、「キリスト教徒の血は種子なのである」[20]と言っています。種は実ることによって六〇倍、一〇〇倍の収穫になるように、殉教者の生きざまを見て、多くの信者が生まれてくることを言っています。韓国には、そのような例が多くあり、殉教記念地がたくさんあります。

韓国の学校

日本のミッション・スクールは、比較的豊かな家庭の子女への教育から始まっていますが、朝鮮半島のミッション・スクールは授業料も払えないような貧しい子女を迎え入れて始まりました。ここにも民族性の違いが出てきていると思います。梨花《イファ》女子大学は貧しい女子のために始まっていますし、延世《ヨンセ》大学も一人の孤児への教育から始まっています。これらの学校は日本の植民地になる前に創立されています。しかし、戦前には、大学教育をすることはできませんでした。日本の政府がそれを許さなかったからです。（京城帝国大学はありましたが、日本人学生が七割ほどを占めていました。）大学教育を受けたいなら、日本に行かなければなりませんでした。戦後になって、韓国の公立大学が成長しました。韓国は李王朝時代からの科挙制度によって、教育による立身出世が制度化されていましたから、日本以上に学校の序列化や受験競争の厳しさがあります。韓国の受験戦争の厳しさは、日本でもときどきニュースになるほどです。

最近は公立の学校が増えましたが、戦前までは学校といえばキリスト教主義の学校のことと思われるほどでした。このことは日本人にはあまり知られていないことです。福祉施設では、二〇一〇年頃でも八〇％がキリスト教系の施設でした。韓国は福祉国家を目指していますから、施設も公立のものが増えてきています。このようにキリスト教が韓国の発展に寄与したことが、「キリスト教国」と言われるほどになる元になっています。

教会

現在韓国には一四個の「メガ・チャーチ」(巨大教会)があります。信徒数が一万人を超える教会を「メガ・チャーチ」と呼んでいます。数千人規模の教会は普通に多くあります。地方に行けば、小さな教会が多くあります。教会の大小はあまり大きな問題ではありません。規模の大小にかかわらず、教会の中では、自分がどのように生きてゆくかが大きな問題として取り上げられ、キリストのように隣人を愛するためにどのように生きてゆくかが話し合われています。このように、日々たゆまず研鑽を積んでいる韓国人を、はたして日本人は考えたことがあるでしょうか。

多くの韓国の教会では、人間的な知恵の思想ではなく、神の考え方を学んでいます。たとえば、聖書の言葉の中に「私(神)の思いは、汝らと異なる」(イザヤ書55:8)という句があります。牧師や神父は「人間の知恵と神の知恵は大きく異なるから、たとえ自分で正しいと思ったことでも、神の知恵によって退けられることがある。最後に残るのは神の知恵だけである」というような説教をしています。

また、韓国のキリスト教徒は、「あなたがたは『残りの者』である」というような説教を聴いています。「残りの者」の思想とは、旧約聖書（とくにイザヤ書やエレミヤ書）に出てくる教えで、歴史の真実は少数の生き残った者によって受け継がれ、その者たちが次の時代を切り拓いてゆくという教えです。多くの同胞が過去一〇〇年間に命を落としました。生き残っている者が、死んだ人々の無念の分を生きていかなければならないと考えています。韓国民の三分の一は、毎日曜日に、このような質の高い宗教教育を受けているといえます。韓国民は、日本人が思っているような民族ではないのかもしれません。

韓国に限ったことではなく、現在ではアフリカ、アジアなど世界中で同じような動きがあり、人類は自分がどこから来てどこへ行こうとしているのかを探し求めています。(21) そのような真面目な人々の多い韓国民に対して、日本人が彼らのあら探しのようなことをしていていいのでしょうか。

韓国は、朝鮮戦争後、一九七〇年から一九九〇年の二〇年間を中心にして、キリスト教徒が激増しました。それはキリスト教会史の中でも異彩を放つような発展でした。戦前には、人口のわずか二〜三％ほどしかいなかった信者が、今では三〇％を超えています。日曜日に韓国の繁華街を歩けば、大勢の人々でごったがえしており、どこにキリスト教徒がいるのかしらと思いますが、繁華街から少し外れた教会の中は数百人、数千人の人々で埋まっています。日本のメディアが、韓国の全体像を正しく描き出していないため、偏った情報を発していると思います。

朝鮮戦争が一応の終息をみた一九五三年ころの韓国のカトリック教徒は、一五万七〇〇〇人、プロテスタントは六〇万人ほどの信者数にすぎなかったと推定されます。韓国の当時の人口二〇七〇万人のわずか三・六％に過ぎませんでした。それが二〇一〇年には、南側の韓国の総人口四八五〇万人の内、カトリック教徒が五二〇万人、プロテスタントが一二〇〇万人余で、国民の三五％がキリスト教徒です。日本では、巷で話題になるような集団結婚式などの特色のある教会のことを取り上げる傾向にありますが、それらはほんの一部であって、ほとんどの韓国教会は地味な活動を続けています。たしかに、夜になるとあちらこちらに目立つ赤いネオンの教会堂が見えますが、あれは原色好みで、自己アッピールの強い国民性が表れているからだと思います。教会の中で教えられていることは、聖書を中心にした地味な教えです。

北朝鮮のキリスト教会の様子は、旅行者によるさまざまな情報が入ってきて断定的なことは言えません。日本の植民地になる直前の一九〇七年のピョンヤンの市民は四万人から五万人でしたが、一万四〇〇〇人ものキリスト教徒がいて「東洋のエルサレム」と呼ばれていました。しかし、共産主義国家になり、北朝鮮の教会は現在冬の時代を迎えています。二〇一九年に在日大韓基督教会（筆者が現在日曜礼拝に通っている在日韓国人が中心の長老系教派）の婦人部の信徒が北朝鮮の教会に招かれて交流をもちました。それによると、政府の許可のもとに昔からの信者の礼拝は許されているそうですが、新たに信者になる人はなく信者数が減少しているそうです。

韓国のキリスト教の特質

幾度も韓国を訪問して、その都度、教会の礼拝に出てみて、日本の教会との違いについて感じるようになりました。それは聖書に対する彼らの態度です。日本人の一人の牧師の目から見れば、韓国のプロテスタント教会の人々は、姿勢を正し、正座して聖書を読む儒者のように見えます。これは筆者の思い込みが大きいのかもしれませんが、韓国のキリスト教徒は、聖書という偉大な書に、何の疑いも持たず、ただひたすらに信じて聴こうとしているような感じです。つまり、儒者と聖書の人々がダブってくるような印象です。

牧師たちの説教の中にもアメリカのピューリタン（清教徒）の影響を強く感じました。韓国の牧師たちは、聖書を神の言葉として非常にうやうやしく接し、説教には「あなたが生きる道はこれしかないのだ」という力強さがあふれているように感じます。聴衆もそのような説教を聴かなければ、家に帰らないというような気迫を感じました。日本の教会と比較してみるならば、日本の教会は「聖書から学ぶ」という接し方が中心であるのに対し、韓国の教会は、聖書を神からの直接の声として「襟を正して聴く」という態度です。

儒教的な側面を残した韓国の教会の信仰は、ピューリタン的な雰囲気を残した信仰と言えるかもしれません。韓国に最初のプロテスタント信仰を持ち込んだのは、長老教会とメソジスト教会の宣教師たちでした。かれらの信仰は、一九世紀の後半でしたから、アメリカの「ピューリタン的な信仰」を残していました。その後に入ってきた諸教派の牧師たちにも同じ傾向がありました。ピューリタン的な信仰というのは、純粋で厳格な信仰と言い換えることが出来ます。それは儒者たちが、早朝に起きて儒教の本を読み、身と心を正し一日を始めていたような態度です。実際に儒者たちがどのような生活をしていたのか、筆者は正しくは知りませんが、韓国のキリスト教徒が、聖書を天からの神の声としてうやうやしく聴く態度に通じるところがあると感じました。

聖書の最初に、天地創造の物語が出てきますが、韓国の教会では「神が万物を創造したこと」「神が人間を男と女に創造したこと」「人間は生まれつき罪深い性質をもっていること」「神にはいかなることがあっても逆らえないこと」などの基本的なことがストレートに説教されます。日本の教会では「万物とは何か」「離婚は是か非か」「なぜ人間には原罪があるのか」「神の絶対的な支配があるはずなのに、なぜ社会には悪があるのか」などの、いわば知的な「応用編」が取り上げられます。韓国の教会では、牧師の説教が日常的な事例による励まし、鼓舞、教えで満ちています。日本の教会では、説明と説得で満ちていえます。同じ聖書の箇所による説教でも、日本と韓国では違う点があるように思えてなりません。

長老教会での「長老」への接し方についても、日本と韓国の教会には違いがあるように思えます。韓国では長老に対して「長老任」（チブサニム）と呼び、尊敬を払います。それは「長老様」というような言葉です。また、ひとたび長老に推挙されると終生「長老様」です。金泳三大統領が「大統領になるより長老になる方が難しい」と言いました。彼は忠賢《チュンヒョン》教会の長老でした。日本では長老は二年とか三年の任期があり、PTAの役員のように考えられています。聖書では「長老」という言葉が現在の「牧師」にもっとも近い存在として用いられています。この一つをとっても、韓国の教会の方がより聖書に忠実であることを感じます。

韓国に信徒数が七〇万人の教会があります。世界一大きな教会です。趙鏞基《チョウ・ヨンギ》牧師が一代で築き上げた教会です。彼は一九三六年の生まれですから流暢な日本語を話すことができ、筆者は彼の日本語の説教と英語の説教を聞いたことがあります。語学に秀でた人ですが、非常に霊的な人です。彼は祈りによって多くの病人を癒しました。二二歳のときに、ソウル市の貧しい地区で、空き地にテントを張り、路上で説教を始めました。朝鮮戦争が終息した直後のことで、韓国がまだ非常に貧しかった時代です。力強い説教と癒しの賜物を神から与えられた人で、三年後には六〇〇〇人が集う教会になりました。一九八〇年には二〇万人の教会になり、米国の『ロサンゼルス・タイムズ』紙で「世界最大のプロテスタント教会」と紹介されました。それが「汝矣島《ヨイド》純福音教会」です。彼は二〇〇八年に現役を引退し、同じ教派の東京教会の牧師が後継者になりました。趙牧師は、今も健康で、ときどき日本の教会にも来ていますし、大きな会合で挨拶などをしています。いろいろな人から「カリスマ的」と言われたりしますが、非常に真面目な人で優秀ですが普通の牧師です。

一般的に言って、教会は世界中どこでも一〇人とか一〇〇人とか、あるいは多くても一〇〇〇人が集うものですが、汝矣島《ヨイド》純福音教会では、日曜日に駐車場に満員のバスが常に出入りし、五回も礼拝が粛々と行われます。数万の人々が通っている教会はめずらしいものです。欧米的な教会論では考えられないことですが、このような大胆な新しいことを成し遂げることができるのは、韓国人の特質を表しているようにみえます。創造的で緻密で計画的で大胆です。それは大陸的でしかも孤高としている民族的な特徴が背後にあることを感じさせます。

筆者は二〇一〇年に、「大統領臨席朝禱会《ちょうとうかい》」に招かれました。大きな展示場に一〇〇〇を超えるパイプ椅子がテーブルごとに準備され、目と鼻の先の壇上には牧師や李明博《イ・ミョンバク》大統領がすわり、聖書、短い説教、幾人かの祈りが続き、国家のために祈りがささげられました。南北の統一のためにも祈られました。驚いたのはその後でした。各テーブルのウェイトレスたちが、ほとんど一瞬と言っていいほどに素早く朝食を運んできて、カップにコーヒーを注ぎ、食事が終わったら一般席の市民がさーっと出勤するために出て行きました。ぴったり一時間で終わりました。大統領も執務のために帰りました。日本と違い面積の小さい国土であり、国民が一族的な一面をもっていることを強く感じました。

8

在日朝鮮人・韓国人の苦闘

日本に残された人々

朝鮮半島から日本に渡った人々は、日本の植民地になった一九一〇年にはわずか三〇〇〇人に過ぎませんでしたが、一〇年後の一九二〇年には約一〇倍の三万人になり、一九三〇年には三〇万人になりました。急に人数が増えたのは、主に朝鮮半島が日本の一部として併合されたからだと考えられます。その後、徴用や徴兵などによって強制的に日本に来た人々が増え、戦争中には最終的に二〇〇万人以上になりました。(22)

終戦直後、一四〇万人近くが朝鮮半島に自費で帰国しました。数時間船に乗れば祖国に帰ることができました。この時には、すでに朝鮮半島は南北に分断されていました。朝鮮半島の北部の人々は、中国やシベリアに逃れた人々が多かったので、日本に来た北側の人々は多くはなく全体の一〇%から二〇%に過ぎませんでした。したがって、多くの帰還者は南部の韓国に戻りました。しかし、戻ってみると、「戦争中に祖国を捨てた人」、「日本に渡って身をかわした人」のように見られました。また、日本の親戚から物資が送られてくるので、そのことを羨ましくも思われました。

朝鮮半島に帰っても土地や家がない人、すでに日本に財産を持っている人、帰国する費用のない人など六〇万人余は帰国できず日本に残留しました。仕事が少ないか、ほとんどない時代に彼らは苦労しました。これらの人々が在日朝鮮人・韓国人です。筆者はまさにその時代に小学生から高校生頃までを彼らと共に過ごしました。顔は同じでも姓が「金《きん》」とか「李《り》」とか「朴《ぼく》」とか付いているクラスメートが幾人もいました。創氏改名が一九四〇年になされましたから、筆者の友人たちは皆日本のいわゆる「通称名」も持っていました。しかし、朝鮮半島出身者は民族的な誇りがありますから「金《きん》」「李《り》」「朴《ぼく》」などの本当の名前を使っていた生徒が多かったように記憶しています。

ほとんどの日本人が食べる物さえなかった時代に、日本に残った朝鮮人・韓国人も過酷な生活に耐えました。もっとも大きな問題は韓国人差別でした。日本人の中にも、韓国人と結婚した人、差別心の少ない人がいますが、戦前からのいきさつを知っている人々の多くは、戦前と同じような悪い差別心を持っていました。そのような人は、筆者の友人や親《しん》戚《せき》にも多くいました。差別的な会話は、日常生活の中に自然に出てきていましたから、それを聞いていた人々の心には、自然に韓国人差別が醸成されていたのだと思います。

筆者の知人（在日韓国人）は、大学を卒業後、企業に就職しましたが、韓国人であるために管理職に就くことはできませんでした。もっとも業績の良い彼がなぜ出世しなかったのかは、仲間から酒の席で、彼が韓国人であるからだとはっきり言われました。単に韓国人であるというだけの理由で出世できない差別が会社の中にあったからです。彼のような例をほとんどの在日韓国人は経験しています。韓国人の多い地区では、街宣車が大音量で在日韓国人への差別発言を繰り返しました。

つい最近も、二〇一九年九月に「愛知トリエンナーレ二〇一九」という芸術祭が開かれ、「表現の不自由展・その後」という芸術作品の展示会が行われました。しかし、三日で中止されました。大量の抗議電話があり、さらにはテロ予告めいたＦＡＸまで届いたからでした。それでも一部の人々のいやがらせで中止することは、かえって悪を認めることになるからといって、厳重な警戒体制のもと、翌月に再開されました。ところが開催地の市長が、「天皇の写真が燃やされる作品が展示されている」と抗議をしました。日本ではまだ表現活動に対する理解が進んでいないように筆者には感じられます。

在日朝鮮人・韓国人の間では、三つの職業が「成功した人々」の職業であると言われます。「焼肉レストラン」「パチンコ店」「金融業」です。これらの職業に就いて成功した人々が多いと聞きます。「金融業」が入っていることで、ヨーロッパでユダヤ人がいろいろな職業から排斥され、最後に残された職業(その一つが金融業・質屋業)で身を立てていかざるをえなかった事情に通じるところがあると思います。成功した人々にとっては喜ぶべきことでしたが、背後に差別という悲しい現実が存在しています。

少しずつ薄れていく差別

日本にいた朝鮮半島出身の人々も、朝鮮半島の南北分断のあおりを受けて、一九四八年には北側の「総連《そうれん》」と南側の「民団《みんだん》」という二つのグループに分かれました。一九五九年以降、九万三〇〇〇の人々が「朝鮮民主主義人民共和国」(北朝鮮)に帰還しました。彼らは大歓迎されると思っていましたが、事実は逆であったという悲しいニュースを聞かされました。

終戦(一九四五年)の時には、朝鮮半島から来た人々は戦前から日本国民になっていましたから当然日本国籍を持っていました。しかし、日本の敗戦によって、朝鮮半島は外国になりましたから、在留者はすべて外国人になりました。日本の役所にそのことを登録し「在留証明書」を身に付けていなくてはならなくなりました。自分の意志で日本に来た人々はまだしも、無理やり連れてこられた人々にとっては、帰国を促されたり、外国人にされたりしました。

ここから朝鮮人・韓国人の日本における半世紀以上の苦しい権利獲得の戦いが始まりました。在留証明書を毎年更新することは、一九九一年まで続きました。税金を納めているにもかかわらず、国民のサービスからは除外されることが多くありました。一九八二年になって、ようやく国民年金への加入ができるようになりました。これも国連の難民条約を日本も批准しなくてはならなくなり、ようやくできたものでした。そして、戦前から住み続けている在日朝鮮人・韓国人は「特別永住者」となりました。日本人の多くにとっては、ほとんど知られていませんが、在日朝鮮人・韓国人の苦労や悲しみは非常に大きいものがありました。今では彼らの三世が中心ですが、四世、五世になる人々もいます。

現在では韓国から企業の方々が大勢きていますから、終戦時のいわゆる「在日一世」とその子孫は数的に減ってきています。少子化や日本人との結婚や帰化が理由で、一般の日本人の中に同化されてきています。終戦時に約二〇〇万人いた中で、帰国した人々を除き、六〇万人以上になっていた在日朝鮮人・韓国人は、二〇一八年には三一万七六九八人になりました。韓国系が二八万人余、北朝鮮系が三万人弱です。現在、在日の南と北との人数比は一〇対一の割合になります。一世や二世は高齢化と死亡によって減少しています。

親や配偶者が韓国系の人々の人口は、二〇〇三年に九八万人、二〇一八年には二〇〇万人ほどの人口になると計算されています。また、毎年一万人ほどが日本国籍をとって帰化しています。[23]このような韓国・朝鮮系の人々の発展の背景には、在日一世の非常に大きな戦前からの苦労と犠牲があったことを忘れてはならないと思います。

筆者の大学時代の二世の同級生は、高齢になってきましたが、「勝手に連れてきて、勝手に外国人にさせられ、帰化を促されても、帰化はできない」と言って苦悩していました。

二〇一六年、国会で「ヘイト・スピーチ解消法」が成立しました。女性や子供やいろいろなマイノリティの人々の「ヒトとしての権利＝人権」を守るための制度や法律が今後も日本の社会の中で次々に作られていこうとしています。このような中で、二〇一九年に、突如、日本の政府側から政治・経済的な「韓国たたき」が始まりました。その発端は一九六五年の「日韓基本条約」の締結にさかのぼります。

その条約に合わせていくつかの協約が結ばれましたが、その一つが日本国から韓国への経済支援でした。約五億ドルの援助金（三億ドルが無償の援助金、二億ドルが貸付けする援助金）を日本政府が出し、韓国側は「戦争中に生じた事由による請求は今後一切行わない」という約束でした。一九六五年といえば、韓国が困窮を極めていた時代でした。時の韓国の大統領・朴 正熙《パク・チョンヒ》は、この日本からの援助金を有効に活用して、韓国経済をものの見事に回復・成長させました。しかし、一般韓国民からは「戦争中に生じた事由による請求は今後一切行わない」と約束をしてしまったことに対して不満が残りました。その条約は、韓国が非常に困っていた時代の一種の「不平等条約」ではないかというわけです。

戦争中に強制的に日本の炭鉱や工場に労働力として徴用された人口は、韓国政府の発表で二二万六〇〇〇人でした。徴用工の人々は正当な賃金を支払われていなかったという訴えを韓国で起こし、韓国の裁判所は二〇一八年に日本企業に賠償命令を出しました。韓国政府によって認定を受けた元徴用工は約一四万九〇〇〇人いますが、高齢のため毎年人数が減っています。戦時中に日本にいた朝鮮半島の人口は、約二〇〇〇万人余ですが、工場などで働かされた人口、兵士とされた人口などの詳しい人数は諸説があって分かりません。

また、七万人とも一〇万人ともいわれる戦争中の「慰安婦」に対する謝罪と賠償という非常に難しい問題は続いています。自分の娘が慰安婦にさせられたら、どのような気持になるでしょうか。人間として許されることではありません。自殺していった少女たち、反抗したために殴打され死んでいった女性たちのことを考えると、あまりにもむごいことです。「戦争中のことでやむをえなかった」「人類の歴史にはよくあることだった」「いまさら蒸し返さないでほしい」など、さまざまな反論が出てきますが、悪かったことは悪かったことですから、素直に認め謝罪するのが当然ではないでしょうか。多くの被害者がいるわけですから、幾度も、その都度謝罪する必要があります。

何度目かの訪韓の時、深夜まで働いていた牧師のことを前述しましたが、その時に通訳をしてくれた若い神学生は、当時、毎週「ナヌムの家」（分かち合いの家）というかつて慰安婦であった人々の暮らす家にボランティアとして訪問していることを話してくれました。韓国人のほとんどの人々は、日本人のなした犯罪行為を忘れようとしても忘れることはできません。もう長い時間が経ちましたから、また、人間は復讐すべきではありませんから、韓国の人々は赦してくれるでしょうが、問題は日本人の謝罪の心が薄いことです。なぜでしょうか。

日本が朝鮮半島で行った出来事に関して、事件を曖昧にしようとする人々が現れてくるのは、やはり朝鮮人・韓国人に対する差別心があるからではないでしょうか。そこには日本人の傲慢な心があるのではないでしょうか。差別の心理は、人間が生まれつき持っている自己防衛の気持ちから発していますから、それをなくすことはできませんが、教育によって正していくことはできます。時間のかかることですが、地道な努力が必要だと思われます。

9　いま世界でもっともメッセージを発している国

いまも戦争中であるということ

一九一〇年に、日本の植民地になって以来、国家と民衆はそれまで経験したことのない逆境に追い込まれました。日本人は国家が亡くなるという経験をしたことがありません。せいぜい第二次世界大戦後の占領軍の支配下に置かれた時のことくらいです。

筆者の耳には、B-29爆撃機の「ブーン」という低い音が、今も鮮明に残っています。B-29爆撃機というのは、米軍の戦闘機のことで、焼夷弾《しょういだん》を日本全土に雨のように落とし焦土にした軍用機でした。戦後になってから、前の方からカーキ色の服を着た米兵が歩いてくると、筆者は恐怖心から母の和服の袖に顔を隠して通り過ぎました。米軍は怖いものだという潜在的な意識があったのだと思います。

その後、筆者は米国の援助物資であるミルクを喜んで飲みました。それは米国からの援助物資であったのでしょうが、米国＝米軍であったので、それを米軍の援助物資だと思っていました。あるいは、学校の先生が「米軍のミルク」と言っていたのかもしれません。筆者にとって、恐ろしいはずの米軍が徐々に「いろいろ助けてくれる米国」に変わっていったのだと思います。ところで、日本は高度経済成長期に入ってからでも、世界の最貧国になっていた韓国の児童にミルクを送ったでしょうか。

「三六年間の日帝時代」という表現は、韓国では「屈辱の時代」のことを言う時のまくら言葉のように用いられます。筆者が韓国のことを本格的に研究し始めたのは二〇〇七年頃でしたが、韓国のオフィスや家庭の中ですら「日帝」「日帝」という言葉をよく耳にして、日本ではほとんど用いられることのない言葉が生きて用いられているのだと驚きました。もちろん、これは筆者の研究目的のインタビューの中での会話であって、日常の会話ではありませんでした。それは「日本帝国主義の植民地にされていた時代の日本の残虐な武断政治」という意味が込められている言葉です。また、「今は民主的な国家に生まれ変わっているが、かつては似ても似つかぬ国家であった」という意味が込められている言葉でもあります。神社参拝や皇居遥拝《ようはい》をさせられたこと、徴兵・徴用されたことなどを指します。

今もアフリカや中近東で、何十年にわたって戦火を避けて難民キャンプで生活をしている人々がいますから、戦争があるところでは、長期間、人間性が否定されるような事態があってもおかしくないことなのかもしれません。よく日本では「韓国における日本の武断政治は、戦争の歴史ではよくあることだった」と軽く扱われますが、被害者である韓国人にとっては、たとえ七〇年余という時間が経過した今になっても忘れられないこと、また忘れてはならないことなのです。特に韓国では、小学校の社会科の教科書で詳しく学んでいますから、現在の韓国の青年や子供に至るまで詳しく知っていることです。

「朝鮮戦争」が「日帝時代」の後に追い打ちをかけるようにやってきたことは、日本人には想像すらできない韓国人の大きな災難でした。人口が減少するほどの近代兵器による死者の数でした。まさに屍が累々と全土を覆いました。その後、韓国は経済的に国家が破綻するような状況になり、まさにその時に「日韓基本条約」の「経済支援協約」が結ばれました。韓国は「今後、一切、戦争事由の賠償を要求しない」ということを明文化させられてしまいました。日本は韓国に対して、相手の困っている時に、塩を送るのではなくて、不平等条約に近いものを課しました。「無償の援助金」という場合、通常なら日本人は気前よく相手にお金を与える気風《きっぷ》の良さを持っているのではないでしょうか。なぜこの場合のみ、それをしないで「韓国側は賠償を要求しない」という一文を課したのでしょうか。

最近になって経済的に日本に追いついて来るまで、韓国は実に一〇〇年間ほどの国家的な苦難と屈辱の時代を送ったわけです。「艱難汝《かんなんなんじ》を玉にす」ということわざがありますが、一〇〇年に及ぶ国家的な艱難を通して、韓国は以前とは全く異なる国家になったことを知らなければならないと思います。経済的に強くなったというより、国際社会の中で精神的に強くなった側面を見落としてはならないと思います。

正義を求める純真な民族

朝鮮半島はユーラシア大陸の西のはずれにあり、鴨緑江《おうりょっこう》(アムノック川)と長白《ちょうはく》山脈(ジャンベク山脈)によって他国と隔絶された地域です。大陸性の気質を持ちながらも、孤高とした気質があります。孤高とした気質は、隔絶された地形から来ています。大陸性の気質の特徴はおおらかであることです。韓国民は独立自尊の精神を持っています。そこに儒教とキリスト教による色付けがなされました。儒教の教えの特徴は「上位の者」への絶対服従の精神です。キリスト教の教えの特徴は「神」への絶対服従の信仰です。ともに原理が先にあり、その原理に従っていろいろな政策が出てきます。

儒教では、自分一人が正しいと信じるなら、たとえ万民が反対しても命を懸けて志を貫くという精神を大切にしました。キリスト教では、たとえ親兄弟が反対しても、自分一人が神に従うという信仰を大切にします。すなわち、自分の損得より「教え」つまり「原理」を優先させる思想です。それを国家や社会一般に応用して換言すれば、韓国民の思想は「正義」を優先させる精神といえます。朝鮮半島の人々は、その民族性からいえば、現実的な利益よりも正義を求める性質を持っていると言えます。それが儒教とキリスト教に接することによって、より強いものになったのではないでしょうか。

しかし、長く苦しい生活の中で「正義」や「理想」を求めることができない事情が続きました。そして、生き延びるために妥協に妥協を重ねざるをえなかったということです。しかし、もともとの民族性は「正義」を求め「理想」を追求する民族であるということです。そのことが儒教を国教としたり、キリスト教が多数の国民によって信じられたりしている事実によって証明されていると思います。日本人は自分の利益を中心に考えるところがあります。このような考え方の違いが日韓の政治的な問題に反映されていると思われます。

朝鮮戦争中やその後、韓国には一〇名の大統領が誕生しました（臨時代行などを除き）。そのうち五名がキリスト教徒です。李承晩《イ・スンマン》（プロテスタント）、金泳三《キム・ヨンサム》（プロテスタント）、金大中《キム・デジュン》（カトリック）、李明博《イ・ミョンバク》（プロテスタント）、そして現在の文在寅《ムン・ジェイン》（カトリック）大統領です。これらの人々は、名ばかりの信者ではなく皆熱心な信者です。個人的な差異はありますが、現実の利益より理想を追求するタイプの人々と言えると思います。身の回りにそのような人々が少ない日本人にとっては、このような人々が大統領に選ばれる政治風土を理解することが少し難しいかもしれません。日本の政治家の中には、経済的に追い込んでゆけば、韓国はかならず妥協してくると一方的に論じる人々が多くいます。それはまったく違うことを知らなければならないと思います。

韓国では、与野党が激しく争い、政権が変わると大統領さえ起訴され、ときには逮捕されます。新聞に表れてくる現象だけを見ていると、激しい性質の国民性だけが日本人の目に映ります。しかし、よく考えてみれば、激しく「正義」を求めていることになります。正義のためならば、たとえ自分の命を落としても悔いはない、という激しさです。それはこの国民の一〇〇〇年にも及ぶ苦難の歴史から来ているのではないでしょうか。それとも韓国人は、ただ単に気性の激しい民族なのでしょうか。見方を変えれば、このように一八〇度異なる見方さえできます。はたしてどちらが真実の姿を表しているでしょうか。筆者は「命をかけても正義を求める国民性」が重要な要素になっていると見ます。多くの日本人が、誤った理解をする背景には、「韓国人差別」という虚構の偶像が立ちはだかっているからだと思います。

筆者は二〇〇八年から二年間にわたり三回訪韓し、二六名のプロテスタント教会と三名のカトリック教会の指導者にインタビューをし、一二三名のキリスト教徒に「ＫＪ法」という質的な研究方法を用いたアンケート調査をしました。その結果、韓国のキリスト教徒数は一九四〇年の二・二％から七〇年後の二〇一〇年に三五・七％に急成長をとげた理由を、次の三つであると結論付けました。

一　キリスト教の教えそのものが、韓国民の心をとらえた。
二　純白の心を持った韓国民の精神性が、聖書の教えにマッチした。
三　死を経験した民族の歴史の力があった。（多くの殉教者の証しがあった。[24]）

筆者は牧師ですから、我田引水の恐れがなきにしもあらずですが、また、韓国のキリスト教徒だけからの調査ですから、この調査結果は一般国民の考えを調査したものではありませんが、それにしても、筆者の驚いたことは、韓国民の国民性が非常に純真で、日本人とは大きく異なっているということでした。日本は戦後に驚異の復興を遂げました。その背景には日本人の勤勉な国民性が大きく寄与していました。この調査をしてから、韓国には韓国の成長の背景をなしている国民性があるということに気付きました。それは純真で熱心な性質です。

教育に力を注いでいる国

韓国はもともと儒教の影響を受けて「科挙制度」を発達させた国ですから、今も国民の教育にかけるエネルギーは非常に大きいものがあります。二〇一九年一二月に発表された経済協力開発機構（ＯＥＣＤ）による「生徒の学習達成度調査」（ＰＩＳＡ）によると、韓国の一五歳の生徒は数学的リテラシー、読解力、科学的リテラシーにおいて世界の上位一〇か国に入っています。（日本は読解力の分野で一五位でした。）[25] 諸国に留学している韓国の学生数は、日本の学生数をはるかに上回っています。世界全体が高い教育を目指して競争している中で、日本と同じように韓国も教育に力を注いでいます。

いま世界でもっともメッセージを発している国

いままでヨーロッパやアメリカがいろいろな意味で先進国でした。しかし、戦後になって、世界人口に大きな変化が起こりました。一九六〇年に約三〇億人であった世界人口が、わずか半世紀後の二〇一八年には二倍以上の七五億人余になりました。ヨーロッパやアメリカの人口があまり変わらないのに、中国やインドを含んだアジアの人口が六一%を占めるまでになりました。それにアフリカや南米を加えると、実に世界人口の約八五%が欧米ではない国々になりました。「欧米」という先進国は、もはや世界をけん引する国々ではなくなりました。ヨーロッパやアメリカの時代が終わり、次にどのような時代がやってくるのでしょうか。それは「中国の時代」「南半球の時代」「グローバルな時代」なのでしょうか。どれも正しいかもしれません。ただ一つたしかなこととして言えることは、温暖化を含む「人類の艱難《かんなん》の時代」が来るということだと思います。

そのような変化の中で、韓国は過去の困難な歴史を通して、日本以上に「信念に基づいた理想を追求する国」として世界に意見を発信する国になると思います。なぜなら彼らは困難な時代を生き抜いてきたし、今もそうしているからです。彼らは世界に対して「清い唇を与えられた民」(旧約聖書 ゼファニヤ書3:9、他)になると思います。

二〇世紀は「戦争の世紀」でした。二一世紀はどうやら「変化の世紀」になりそうです。科学の発達が、人類の日常の生活から国際政治にいたるまで、すべてを新しくしようとしています。ついこの間まで「十年一昔《ひとむかし》」と言っていましたが、今では二昔《ふたむかし》にも三昔《みむかし》にもなります。器具の使い方から身近な役所への届にいたるまで、つい数年前までとは違ってきました。アメリカの大統領がスマホをつかって自分の意見をつぶやいたりすることは、一昔前には考えられないことでした。多くの知識人ですら、一年先の世界が見通せない時代を生きています。

中近東はいつまで争っているのでしょうか、中国が世界の工場でしたが、それがアフリカに移ったら中国はどうなるのでしょうか、地球の温暖化の元凶はどこの国にあるのでしょうか。変化が激しく、滅亡していきそうな地球で、一体どのような国あるいは人々が意見を発信できるでしょうか。それが出来るのは、ちょうど水が高い所から低い所に流れるように、一〇〇年の困難から抜け出してきた国また国民ではないでしょうか。アフリカや南アメリカの人々が求めているものは、援助をしてくれる国ではなく、困難から抜け出す原理を示してくれる国ではないでしょうか。

本書の冒頭で述べたように、日本だけが韓国を差別視しています。それは侵略するための方便探しから来ていました。小さな悪の根が、国の大きな不幸の樹を作り出しています。ぬかるみのわだちの中にはまり込んだ荷車は、なかなか抜け出せません。日本人は、なぜ韓国人差別というわだちにはまり込んでしまったかを考え直さなければならないときです。

筆者はけっして韓国をむやみに持ち上げようとしているのではありません。むしろ、韓国を他の国々と同じように見ることを求めているだけです。日本は韓国を差別視しています。しかも、日本は、韓国という国を、ほぼ真逆に見ています。これは大きな不幸の元凶です。「差別視」という霞のような悪魔を吹き払ってしまえば、日本と韓国は、刺激しあうことのできる明るい国になっていけます。

10 日本人よ、韓国に優しく

歴史を見直しましょう

韓国は近年になって、絶対的な政治力と警察力をもって支配していた全斗煥《チョン・ドゥファン》政権すら、一九八七年の一般民衆・学生などのデモによって倒しました。韓国民は「民」が政治の決定権を握っていることを、その政変によって経験しました。これを韓国では「民主化運動」と呼んでいますが、なぜかこの政変の重要性が日本では取り上げられることがありません。また、日本では「民主化運動」の韓国史における重要性を知っている人は多くはいません。

「三・一独立記念日」と「一九八七年の民主化運動」によって、韓国民は「やれば出来る」ことを経験しました。韓国民は心の強さをもっていますが、それは五五〇年以上も続いた李王朝支配と日本による植民地支配による「死ぬほどの苦しみ」から来ています。それがいかに強いものであるかを日本の政治家も国民も理解しようとしません。

韓国を経済的に締め付ければ、そのうち弱音をあげると思っている日本人が多くいます。韓国はかつて武断政治の下で日本に負けていました。山の中に逃げ込み、草木の根を食って命をつないだ時代は、少しのお米を欲しいために変節する人々がいました。しかし、苦節一〇〇年の経験をしてきた現代韓国の国民は昔と違っています。

苦しい時代には一粒のコメのために、身を売ることがあったかもしれませんが、それは極貧にあえいでいた時代のことです。韓国政府は日本に追いつき日本を追い越せという掛け声でやってきましたから、今では日本と肩を並べるほどになってきました。日本の一部の専門家は「まだまだ日本の方が上だ」と思っていますが、一人当たりの国民総生産は、二〇一八年で日本が三万九〇三〇六ドルであるのに対し、韓国は三万三三四六ドルと肉薄してきました。

一九六〇年代前半までは、韓国は世界の最貧国でした。北朝鮮をすら下回っていたのです。日本の終戦直後のように、本当に食べることにも苦労するほどでした。その苦しみの始まりが「日帝時代」でした。それから七〇年以上経ち、「日本に対して強く出ても、もう大丈夫」というところまで来ました。五〇年前ではそこまで強く出ることはできませんでした。一九六五年の「日韓基本条約」のころと今とでは、経済状況と政治状況が根本的に変わっています。日本政府が出した「経済支援資金」三億ドルとベトナム戦争への参戦による資金とによって、韓国は急激な経済成長を成し遂げることが出来ました。その後も成長を続けています。

欧米の事情を学ぶことも重要ですが、身近な韓国やアジアの歴史を事実に基づいた理解をすることが日本にとって喫緊の課題です。日本が島国であり、狭い見方をする民族であることを十分に知って、より広い視野を持って世界を見、韓国を見なければならないと思います。韓国は過去一〇〇年の間に急速に変化してきています。日本も過去一〇〇年の間に大きな変化をとげてきました。国際社会も変化してきました。そのような中で、日本にとって重要なことは、韓国に対する偏見を捨て、事実を事実として認めるところから新しい道が開けてくると思います。過去の歴史をみつめ直し、日本は韓国に愛にあふれた目を向けることです。文化交流を多くし、人と人との交わりの機会をふやし、まったく同じヒトであることを知れば、新しい世界が開かれてきます。

加害者であったこと

筆者は韓国に訪問することを長くためらっていました。近くて親しい国でありながら、過去の歴史があまりにも残虐であったからです。友人の牧師たちから、「韓国へ行くなら、韓国の歴史を少し学んでから行くように、また、韓国人と面談するなら、最初に、かつての日本の歴史的な行為について謝罪するように」という注意を受けていました。筆者の友人たちは、筆者と同じような歴史観を持っていましたから、彼らが韓国人と話すときには、かつての日本の侵略行為に対して謝罪の一言をもって始めていたと聞きました。筆者に限らずキリスト教徒は「悔い改める」ことが信仰の第一歩ですから、慣れており、謝罪することに何の抵抗もありませんでした。

一九九五年に最初に訪韓した時、筆者はある日本の教会の一団と共に「祈禱院《きとういん》」という所に行きました。それは筆者にとって最もふさわしい所だと思ったからです。そこは断食しながら三日とか一週間を過ごす施設でした。そこで筆者は三日間ざんげの祈りをしました。断食は心を神に集中して祈るためですが、韓国にはこのような施設がたくさんあります。その中でも多分最も大きな施設で、正月休みには一万人以上もの来訪者がある所でした。なにしろ断食をする施設ですから、食事を提供する必要がありません。水とトイレと仮眠する広間があればいいだけです。広間の隅には布団が山積みにしてありました。

その時に現地で使ったお金は高速道路で二〇〇円ほどのアイスクリームを一個買っただけでした。飛行場から祈禱院へ、そして祈禱院から飛行場にもどるだけの旅行でした。二度目には一人で旅行し、「独立記念館」に行きました。日本からの旅行者はほとんど行かない施設で、日本の過酷な統治時代の有様を展示している施設でした。日本国内でたくさんの韓国関係の「案内書」「ガイドブック」が出ていますが、なぜか最初に訪問すべき「独立記念館」のことがまったくふれられていません。ここにも日本人の「差別」感情が表されていると思います。

その二度目の旅行で、ソウル市内のある牧師の家庭を訪問したとき、筆者も牧師であることを話したら喜んでくれました。御祖母が同居しておられたので、日本語で話が弾みました。筆者が「日本が戦前・戦中に大変なご迷惑をおかけしたことをまずお詫び申し上げます」と言ったら、にこにこ笑いながら、「もういいんですよ。過去のことは、もう過ぎ去りました。これから、仲良くしましょう」とおっしゃいました。日本語で謝罪し、日本語で気持ちを理解していただけたということが筆者の記憶に強く残っています。英語で通じる人々と会っていましたから、筆者のへたな英語ではなく、日本語で心が通じたということで、その御祖母との会話を忘れることができません。

韓国の人々は、日本人の犯してきた数々の罪について正直に認め謝罪すれば、今では赦してくれます。日本の一〇歳二〇歳代の青少年は、「そのような昔の話は知らない」と言うかもしれませんが、韓国の同年代の若者たちは、全員学校で「日帝三六年間のこと」を学んでいますからよく知っています。今も歴史をそのまま教育している韓国が間違っているのでしょうか、それとも知らない日本人が悪いのでしょうか。これは一目瞭然のことです。

相手に対して何か悪いことをした場合、心からそれを悪いことであったと認めるならば、相手の気持ちは半分和らぎます。さらに「ごめんなさい」と言えば、相手の心は「これ以上追求してはならない」という気持に変わります。「事実を悪いことであったと認める」ことが半分で「謝罪」が半分です。両方が必要です。

二人の小学生が公園で「縄跳び」をして遊んでいました。幼稚園児が公園のなかで走り回っていました。幼稚園児の一人が、縄跳びをしていた小学生の一人にぶつかり、おもわず片方の手から縄跳びがはずれ、もう一人の小学生の友人の額に当たりました。「痛いッ！」と言って、そのもう一人の小学生はしゃがみ込みました。加害者になってしまった小学生はあわてて、「あの幼稚園の児が僕にぶつかってきたものだから……」と言いながら、友達のもとに駆け寄りました。額にこぶを作った子は、泣きべそをかきながら家に帰ってしまいました。

その子は、家に帰り、お母さんに成り行きを話しました。お母さんは、「お友達が悪かったのではないようね。そういう場合は、『ごめんね』と言ったら赦してあげなさいね」

と我が子をたしなめました。すると、その子は「友達はあやまらなかったよ。幼稚園の児がぶつかってきたから……」って言っただけだよ、と言いました。そのとき家のチャイムが鳴り、玄関に被害者が置き忘れて行った縄跳びを持った、加害者になってしまった友達が、すまなさそうな顔をして立っていました。その子は泣きべそをかいている友達に「さっきはごめんね」と言いました。それを聞いたとき、被害者の心はすーと晴れて、二人はまた仲良く遊び始めました。

人は子供のころから、このような経験を積み重ねて成長します。「悪いことをしてしまった」と事実を認定し、さらに「ごめんね」と言うことが必要です。どのような被害者も、かつて自分が加害者になった経験をして育ってきています。ですから被害者の立場や気持がわかります。心を込めて「ごめんね」と言っているのか、本当は悪いことをしたとは思っていないのに言葉だけで謝っているのかは、同じ人間としてすぐに分かります。

一九九八年、当時の小渕恵三首相は、「植民地支配により多大の損害と苦痛を与えたという歴史的事実」に対し「痛切な反省と心からのお詫び」をのべました。ところが、その後、慰安婦問題はなかったとか、靖国神社に公然と参拝するような国会議員が現れ、「痛切な反省と心からのお詫び」は言葉だけのものであったことが判明しました。このような事実の背後には、まだ「朝鮮人・韓国人蔑視」が存在していると言わざるを得ません。

はたして、日本は過去の侵略戦争を悪いこととして認識しているでしょうか。

はたして、日本人は心から謝罪したでしょうか。

謝罪をするときには、言い訳を優先させてはなりません。悪いことを悪いことであったと認めることが大切です。どのような「言い訳」も、被害者の心を和らげることはできません。「言い訳」をする心は、「だからあの場合はやむを得なかった」という説明であって、「私は悪くなかった」と言っているのに等しいのです。謝罪をするときには、「言い訳」をしないで、悪いことを悪いことと認めて、ひたすら「謝罪」しなければなりません。相手も人間ですから、赦しを乞う人間に、いつまでも赦さないでおくことができなくなります。被害者はかならず赦す気持になります。そのようにして人間の社会は成り立っていると思います。日本が加害者であったのは万人が認める事実です。日本人はそれを認めなければならないと思います。

日本人の中にも悲しんでいる人々がいる

日本と朝鮮半島の近世の歴史を知れば、だれでも日本に非があることをすぐに理解できます。もしそれでも非があることを認めない人がいるとしたら、それは本人の心の問題であると思います。すなわち、それは「朝鮮人・韓国人蔑視」という心理学的な問題です。幼少の時から、そのような環境に育ったならば、あるいは親がそのような蔑視の気持を持ちながら子を育てたならば、その子は「蔑視」を持った子として育ちます。それこそがまさに根源的な原因です。多くの場合、「朝鮮人・韓国人蔑視」を持っている親は、そのまた親からの「刷り込み」教育がなされてきたものと考えられます。

しかし、多くの日本人は、そのような特定の民族への蔑視あるいは差別の心を持っているとは思ってもいません。最初に述べたように、すべての人間が「差別」の心を持っていますが、それは自己を愛する本能的なもので、人間であり続けるためには必要なものです。

ただし、教育によって「間違った差別」を正していくことができます。差別（区別）の心理は、嫉妬する心理と同じように人間には必要なものです。したがって、何が悪い差別であり、何が悪い嫉妬であるかを教育していかなければなりません。それはちょうど「人を殺してはならない」とか「盗んではならない」とかを教えるようなものです。

朝日新聞社の二〇一九年九月の調査によれば、七〇歳以上の四一％の高齢者は「韓国を嫌い」と答えています。しかし、一八歳から二九歳までの若い人々は「嫌い」と答える人がわずか一三％です。六〇歳代から三〇歳代の人々は、「嫌い」が年齢によって少しずつ減少しています。すなわち、近年の日本人は「韓国人蔑視」が薄らいできていることを示しています。その分だけ「好き」が増加しています。

その背景には、韓国以外の諸外国人が日本の日常生活の中で多くなってきていること、すなわち「グローバル化」が進んでいることと関係があると思います。筆者は高齢者の一人ですが、同じ年代の人々の中でも、歴史認識において事実に基づいた理解をしている人々は多くいます。そのような人々は、日本人がかつての歴史をありのままに理解することを期待していると思います。言い換えるならば、現在の日韓関係の悪化は、歴史に対するゆがんだ理解に基づくものであるということです。

押し寄せてくる「グローバル化」が、大きな目で見た場合の日韓関係改善の最も大きな要因になっています。これは喜ぶべき面と悲しむべき面の両方を持っています。悲しむべき面というのは、歴史の事実をうやむやにし、韓国人に対して「謝罪」をしないまま通り過ごしてしまう恐れがあることです。それは日本国にとって将来に禍根を残す不幸なことだと思います。何が善であり悪であるかをうやむやにすることは、人間社会の中で許されることではないからです。日本は島国であり、自分のうちだけで納得する性質を持っています。裏返して言えば、国際社会から孤立してしまう危険があるということです。このことを危惧している人々が多くいても、その人々の声は島国の中で抑え込まれています。抑え込もうとする少数の人々がいます。

二〇一九年八月に、日本の経済産業省が韓国を輸出審査の優遇国（いわゆるホワイト国）から外そうとして意見公募（パブリック・コメント）を求めた時に、四万余の賛成意見が寄せられました。筆者には、これらの背後に、日本人の韓国人蔑視をする一団の人々がいまだに潜んでいるように見えます。

しかし、日本人の多くは韓国と友好的な関係を持ちたいと願っていると思います。正しいことを正しいとし、間違っていることを間違っているとする、人間本来の道にもどるべきではないでしょうか。

七年目七年目の潮の変わり目

昔の人はよく「七年目七年目の潮の変わり目」という言葉を使っていました。右に揺れたり左に揺れたり、あるいは良いことがあったり悪いことがあったりする人生の移り変わりを言い表す言葉です。これは日韓関係についても言えることかもしれません。関係の悪い時期の方が多かったと思いますが、良い時期もありました。特に、近年は著しく良好な時期がありました。しかし、それは一種の流行《はやり》のようなものであったと思われます。そこには事実に基づいた共通の歴史認識がありませんでした。そして、心のこもった謝罪がありませんでした。ですから、すぐに喧嘩が始まってしまいました。

暗く苦しい道を通ってきた韓国は、今世界の指標になりつつあります。日本も戦後の一時期苦労しましたが、それは主に経済的な苦労でした。韓国の苦労は経済的な苦労だけではなく精神的な苦労がありました。それも並大抵の苦労ではなく、国家的な艱難《かんなん》であったことです。そのような艱難を通して、韓国民は「この国から世界を変える」という崇高な理想を持つにいたっています。

そのような理想を追求する戦いはまだ続いていますが、北側と南側が統一されれば、そのことが他の国々を含んだ地球的な希望の一里塚になり、戦闘が続いている地域や国にとって良い目標になるに違いないと思われます。日本と韓国の苦労には質の違いがあります。韓国の質的な苦労が、今後、世界の中で輝きを発揮すると思います。そのような目で韓国を見る必要があるのではないでしょうか。韓国は志の高い国です。日韓関係の問題の核心は、お金ではなく心の問題です。

突然、二〇一九年に、日韓関係に冷たい風が吹いてきました。大きな流れの中では逆風のような風です。なぜでしょうか。それは人種差別をする人々の最後のあがきであると思います。このような風がいつまでも吹くはずがありません。わずか五〇キロほどしか離れていない隣国なのですから。

注

(1)ヤン・C・ヨェルデン編、田村光彰他訳『ヨーロッパの差別論』明石書店、一九九九年、二一四頁。

(2)『朝日新聞』二〇一九年九月一七日朝刊。

(3)『中央日報』日本語版、二〇一九年一月二二日。

(4)李鍾元・木宮正史・磯崎典世・浅羽祐樹著『戦後日韓関係史』有斐閣、二〇一七年、二一-三頁。

(5)仲尾宏著『Q&A 在日韓国人、朝鮮人問題の基礎知識』(第二版)、明石書店、二〇〇三年、九頁。

(6)深谷克己ほか二五名著『中学社会 歴史』教育出版、二〇一六年、一七四頁、一七八頁。

(7)黒川みどり、藤野豊著『差別の日本近現代史』、岩波書店、二〇一五年、三二-三三頁。他の参考文献、趙景達「近代日本における朝鮮蔑視観の形成と朝鮮人の対応」、三宅明正・山田賢編著『歴史の中の差別――「三国人」問題とは何か』日本経済評論社、二〇〇一年、六九-八一頁。韓桂玉著『「征韓論」の系譜』三一書房、一九九六年、三六頁、二四七頁。吉野誠著『明治維新と征韓論』明石書店、二〇〇二年など。

(8)仲尾宏、前掲書、一一頁。

(9)同前、一〇頁。

(10)君島和彦編『近代の日本と朝鮮――「された側」からの視点』東京堂出版、二〇一四年、八二頁。

(11)深谷克己ほか二五名、前掲書、一八〇頁。

(12) 朴慶植著『朝鮮三・一独立運動』平凡社、一九七四年、一〇二頁。
(13) 有田和正・石弘光ほか著『小学社会六上』教育出版、二〇一八年、一一一頁。
(14) 深谷克己ほか二五名、前掲書、二〇二頁。
(15) 仲尾宏、前掲書、一四七頁。
(16) 同前、一八五頁。
(17) 李光洙著「天主教徒の殉教をみて」『李光洙全集』第一七巻、三中堂、ソウル、一九六二年、四六三頁。
(18) 閔《ミン・》庚培《ギョンベ》著『韓国キリスト教会史』金忠一訳、新教出版社、一九八一年、一〇九頁。
(19) 同前、三九九頁。
(20) テルトゥリアヌス「護教論（アポロゲティクス）」鈴木一郎訳『キリスト教教父著作集 一四』教文館、一九八七年、一一七-一一八頁。
(21) 鈴木崇巨著『福音派とは何か?——トランプ大統領と福音派』春秋社、二〇一九年。
(22) 仲尾宏、前掲書、一一頁。
(23) 岡本雅享監修・編『日本の民族差別——人種差別撤廃条約からみた課題』明石書店、二〇〇五年、七二-七五頁。
(24) 鈴木崇巨著『韓国はなぜキリスト教国になったか』春秋社、二〇一二年、一〇六頁、一一五頁。
(25)『朝日新聞』二〇一九年一二月四日朝刊。

あとがき

短い時間で書き上げましたから、不足している点や不十分なところがあるかもしれません。前作の『韓国はなぜキリスト教国になったか』（春秋社、二〇一二年）から、あまり長い年月が経っていませんから、そのときの資料も使っています。そちらの方も参考にしていただければ幸いです。

韓国関係の書物は非常に多くあるにもかかわらず、世に知られているものは決して多くありません。特に、終戦直後に出された多くの書物は、朝鮮半島出身者の生の声が聞けます。しかし、関係者の書棚にあるだけで、一般の図書館にすらありません。幸い、筆者は在日の人々の集う教会と親しいため、世に出なかったような書籍を読むことができました。そのような書籍に感謝します。

親しい韓国系の友人に感謝します。査読してくださった在日大韓基督教会品川教会牧師の姜章植《カン・ジャンシク》先生に心から感謝します。また、この書を世に出してくださった春秋社の小林公二様に感謝します。

鈴 木 崇 巨 *Takahiro Suzuki*
1942年生まれ。東京神学大学大学院修士課程および米国南部メソジスト大学大学院修士課程修了。西部アメリカン・バプテスト神学大学大学院にて博士号を取得。日本キリスト教団東舞鶴教会、田浦教会、銀座教会、頌栄教会、米国合同メソジスト教団ホイットニー記念教会、聖隷クリストファー大学などで47年間、牧師、教授として働き引退。
著書に『牧師の仕事』（教文館、2002年）、『キリストの教え』（春秋社、2007年）、『韓国はなぜキリスト教国になったか』（春秋社、2012年）、『共同研究 日本ではなぜ福音宣教が実を結ばなかったか』（共著、いのちのことば社、2012年）、『求道者伝道テキスト』（地引網出版、2014年）、『礼拝の祈り――手引きと例文』（教文館、2014年）、『日々の祈り――手引きと例文』（教文館、2015年）、『１年で聖書を読破する。』（いのちのことば社、2016年）、『聖書検定テキスト』（聖書検定協会、2017年）、『福音派とは何か？――トランプ大統領と福音派』（春秋社、2019年）など多数。

君は韓国のことを知っていますか？

もう一つの韓国論

2020年２月20日　第１刷発行

著　者――――鈴木崇巨
発行者――――神田　明
発行所――――株式会社 **春秋社**
〒101-0021　東京都千代田区外神田 2-18-6
電話　03-3255-9611
振替　00180-6-24861
https://www.shunjusha.co.jp/
印　刷――――株式会社 太平印刷社
製　本――――ナショナル製本 協同組合
装　丁――――伊藤滋章

Printed in Japan, Shunjusha
ISBN978-4-393-32389-2
定価はカバー等に表示してあります